Wordsearch

Wordsearch

ARCTURUS

ARCTURUS

© 2018 Arcturus Holdings Limited
Puzzles copyright © Puzzle Press Ltd

ISBN: 978-1-78599-969-7
AD005568NT

Printed in China

2   4   6   8   10 9   7   5   3

1   Things With Strings

```
E P M C K H Y C R P U E L
E S W W I N D C H I M E S
C R R A T D O G O C O E N
A S S U E K A R M E N G O
L E Q U P T L V P N A U O
K H J A T O I E E A I I L
C S Q F P O F O P R P T L
E B I B L I T L U C E A A
N G I I D M U L L H R R B
L Q N D Q M C E P E T O U
R Z L S B O Y C T R B S J
A E N B D K E O A Y A A N
E Y O V S M P Q Y B N H L
P B T L A R X R J O J R O
O N Y O I L O C G W O W H
```

◊ APRON

◊ ARCHERY
  BOW

◊ BALLOON

◊ BANJO

◊ CELLO

◊ FIDDLE

◊ GIFT TAG

◊ GUITAR

◊ HARP

◊ KITE

◊ LABEL

◊ PEARL
  NECKLACE

◊ PIANO

◊ PLUMB BOB

◊ PURSE

◊ VIOLIN

◊ WIND CHIMES

◊ YO-YO

2 Coins

```
L Z D F C H G Q A B L T M
D E N A R I U S C O N I Q
Y Y J G N I L E O A W B G
L D L R N D C B P R G Y N
E D D E Y R I O P Z H N I
K A U A E D L P E D O N L
C N E T S E K B R B F E L
I G S R O A R Y L A Y P I
N E H N O A T E H A T E H
S L H L L D V N O Y H E S
T U O L N K I B A A A R L
S B O V L Q D O T Z L H E
O D F S Z L Q H M Q E T R
Z N P E R Q M L A E R B R
G G T A O R G U K E A P U
```

◊ ANGEL

◊ BEZANT

◊ COPPER

◊ DANDIPRAT

◊ DENARIUS

◊ DOLLAR

◊ GROAT

◊ MOIDORE

◊ NAPOLEON

◊ NICKEL

◊ NOBLE

◊ OBOL

◊ REAL

◊ SESTERCE

◊ SHILLING

◊ SOU

◊ THALER

◊ THREEPENNY
   BIT

3   **Made of Glass**

```
Y  F  H  E  L  B  R  A  M  S  S  M  R
G  R  E  E  N  H  O  U  S  E  D  W  Q
B  E  M  O  U  B  G  H  J  S  A  K  A
L  K  R  S  B  B  V  O  J  N  E  H  Q
U  E  E  M  U  S  E  C  B  E  B  G  U
B  B  G  N  A  E  B  A  X  L  P  L  A
T  U  L  R  A  F  P  O  K  I  E  R  R
H  T  W  O  U  P  V  X  T  E  L  T  I
G  T  O  R  T  I  W  C  H  T  R  K  U
I  S  B  R  P  Y  H  O  A  Y  L  A  M
L  E  G  I  D  E  T  H  D  E  S  E  B
P  T  V  M  R  P  M  I  A  N  E  F  R
W  B  N  A  M  Q  B  U  B  Q  I  V  F
J  F  L  A  S  K  H  D  S  B  Y  W  B
O  A  L  O  V  E  N  W  A  R  E  D  U
```

◊ AQUARIUM	◊ GOBLET	◊ MIRROR
◊ BEADS	◊ GREENHOUSE	◊ OVENWARE
◊ BEAKER	◊ LAMP	◊ PITCHER
◊ BOTTLE	◊ LENSES	◊ TEST TUBE
◊ BOWL	◊ LIGHT BULB	◊ VASE
◊ FLASK	◊ MARBLE	◊ WINDOW PANE

4   Artists

```
E N H X I S C H A H H O Z
X O J S T N D A W O S E E
W G L P V A I Z H E A K S
P I H E C I E L E N N A X
J F S N G D N N L G G L D
T N Q S R N O J R E Q B S
L Z B E N I A U D T C I S
F S D R G V B L E T M M I
D K L R I N E V E Y H W A
U U O D E R A I N H Y N L
O I R D M E K D N F C E L
G W L E U T U R N E R I I
K O U M R F G N W O R B M
B O Y D E X Y Z O S F L W
P C N A B E F M A R A E N
```

◊ BLAKE	◊ DUFY	◊ MILLAIS
◊ BOYD	◊ DURER	◊ MOORE
◊ BROWN	◊ ETTY	◊ NASH
◊ CELLINI	◊ GIORGIONE	◊ OLDENBURG
◊ DEGAS	◊ GOYA	◊ SPENSER
◊ DERAIN	◊ MICHEL- ANGELO	◊ TURNER

5 Things With Buttons

```
Y U F R E D N E L B F R E
U H O V O C O M P U T E R
Q C O I V T A A D N H N D
T T D C E E A M S C C O N
Z A M H R N T L E X O Q O
R W I A C O I P U R A D I
B P X I O H O Q B C A Y D
L O E R A P J E K P L V R
O T R D T E L U L M D A O
U S H R T L H O K P F V C
S Z I Y K E R M L E P N C
E H C E U T K A J H B F A
S Z G R N J Y C H O G O Y
V D H O Y E V V A Z I C X
F V C Y R D H B F J L D Y
```

◊ ACCORDION   ◊ CONTROL PAD   ◊ JUKEBOX

◊ BLENDER   ◊ DOORBELL   ◊ OVERCOAT

◊ BLOUSE   ◊ DVD PLAYER   ◊ RADIO

◊ CALCULATOR   ◊ FOOD MIXER   ◊ SHIRT

◊ CAMERA   ◊ HAIRDRYER   ◊ STOPWATCH

◊ COMPUTER   ◊ JACKET   ◊ TELEPHONE

6 Harvest Time

```
B N S G K Z Y H A A K N U
U Z J T E E J P K Q X G V
J I E K N M P O B R E A D
R M G S E L B A T E G E V
I E X N E U K O Q F R P B
P G D S I S C D L E I Y A
E A K C Q K C F C Q N I E
N R N I A W A O R T X F B
I O Y D N A T M M G Q K K
N T A I S Q B I Y B M L E
G S A T L T L E U A I R Y
I R Y T S L U F A R H N T
G A T H E R I N G N F R E
I F U T I C I S B W S X M
N Q B V B U N D L E F U R
```

◊ APPLES   ◊ GATHERING   ◊ RIPENING

◊ BEANS   ◊ GRAIN   ◊ RYE

◊ BREAD   ◊ HAYMAKING   ◊ STORAGE

◊ BUNDLE   ◊ MILLET   ◊ VEGETABLES

◊ COMBINE   ◊ NUTS   ◊ WAIN

◊ FRUIT   ◊ OATS   ◊ YIELD

Game of Thrones

```
V O W H K P S V E D Q Q Q
R U Y R I I I N J Z S P V
Q P A U N R R X K A O M J
U T G N C O I A B L I F C
S Z A O D N V P M D Y M G
U T J F E F E L Q S F J E
S A N S A L R O E Q A A L
E T T Y X E L R Q L J Y C
Z S Y P J E A D I H R W E
Q J O R W T N S U V C N R
R A Q O I X D P U C I A S
V R C A R O S O S W N B E
T Y R V E W N R Y D Y D I
R A H N Y L E T A C P Q U
A N A R B O T L V A R Y S
```

◊ ANDAL	◊ IRON FLEET	◊ SANSA
◊ ARYA	◊ JAIME	◊ STANNIS
◊ BRAN	◊ LORDSPORT	◊ STARK
◊ CATELYN	◊ RAMSAY	◊ TYRION
◊ CERSEI	◊ RIVERLANDS	◊ TYWIN
◊ DORNE	◊ ROOSE	◊ VARYS

Famous Buildings and Monuments

```
C E E E E L B M L A M X U
C A D S G A K I N K A K U
O C L K U A U V T J A R E
L N A H R O T L S Q U T E
O N A S A E H I R I E T M
S U O Z A M M L M S Q H A
S V J R V M B L L R I E D
E G E U I A I R I I E S E
U C K V L T T L A N H H R
M V G V C L A H A M J A T
D O G E S P A L A C E R O
L A S C A L A K F C R D N
D B U R J K H A L I F A V
P K Z J I R E W O T N N C
C J Y T V W Y V Z R C T R
```

◊ ALHAMBRA

◊ BAUHAUS

◊ BURJ KHALIFA

◊ CASA MILA

◊ CNN TOWER

◊ COLOSSEUM

◊ DOGE'S PALACE

◊ FLATIRON

◊ HERMITAGE

◊ HILL HOUSE

◊ KINKAKU

◊ KREMLIN

◊ LA SCALA

◊ NOTRE DAME

◊ TAJ MAHAL

◊ THE SHARD

◊ TIKAL

◊ UXMAL

9   Calm Down

```
N H Z H A M L E W N R B S
X S O O T H E L W X R F O
S U S A E T A R E D O M I
E H I L C W E L T U E Z L
D Z F R H W Q P A S Q D P
A S A R O R C W B T M S R
T O W L L E Q A A I A C Z
E W J B S P R N E L C Z H
A F F O E S A E C L N X S
T L P A A A S S U A G E I
R E L A X I P O D Q L B N
R J Q A M B H P E W L R I
O I M A Y K Y M R H Z A M
G N M U W O X O I O G R I
P E T A I L I C N O C Q D
```

◊ ABATE   ◊ EASE OFF   ◊ RELAX

◊ ALLAY   ◊ HUSH   ◊ REPOSE

◊ ASSUAGE   ◊ LOWER   ◊ SEDATE

◊ COMPOSE   ◊ MODERATE   ◊ SOOTHE

◊ CONCILIATE   ◊ QUELL   ◊ STILL

◊ DIMINISH   ◊ REDUCE   ◊ WANE

10 Things That Go Round

```
S N O O M F O V N C Y G T
E G G B E A T E R N I Q F
D F A N B E L T E G S L A
A D T R E A D M I L L J H
L R N I M D E L D N I P S
B I P U N A R V T M V C M
R L R Y O I T E U T X Z A
E L O G H R M U W L I A C
W Y P W R O O W R R D E A
O V E J C I P G O E R D A
M K L J P W N T Y D Z R D
N F L U Z I S D W R J O Y
U Q E W X A A U E U R C F
H Y R E C Z F V B R P E O
L N A H D R E I D E L R M
```

◊ ARMATURE

◊ CAMSHAFT

◊ CASTOR

◊ COMET

◊ DREIDEL

◊ DRILL

◊ EGG BEATER

◊ FANBELT

◊ GRINDER

◊ MERRY-GO-
ROUND

◊ MOON

◊ MOWER
BLADES

◊ PROPELLER

◊ RECORD

◊ SPINDLE

◊ TREADMILL

◊ WHIRLIGIG

◊ YO-YO

11 Famous New Zealanders

```
R Z C D F D N I M D V A A
Y C C B I O M B N F I A D
E H D U S M C L A R E N L
L C Y D A R R H M Z N K A
L V U T W K C A T F G P O
A H A J R Z H X I A I Z Y
D C N A J P I B Y D H E V
K P P L U V D W E M C N Y
B U R C H F I E L D N A E
U V X Z B A M M S V D T M
C W O D M B N W N E G H A
K B A H N E T T I R B A R
H D Y K W N E K T I A N F
F D Y O E J E B H P R F O
X H B Z G O D W A R D F F
```

◊ AITKEN

◊ ALDA

◊ ALLEY

◊ ATACK

◊ BOWEN

◊ BRITTEN

◊ BUCK

◊ BURCHFIELD

◊ FRAME

◊ GODWARD

◊ HUDSON

◊ MACDIARMID

◊ MCLAREN

◊ NATHAN

◊ PARK

◊ TINSLEY

◊ UPHAM

◊ WAKE

12   Whodunnit

```
Q O S T C E P S U S S O G
L L E C S N E O M U E N K
E P O M O T I V E J I M J
A L X P E R U U L Y S N E
D Y A T P J U P L N R S K
S E M G E O K P I C P T D
W I U O N X R A O R S E A
S B R J R I T T O L N D P
C I D Q E S R C U O I A A
B L E E D A K R U N Q C E
O A R O X I L E E E I H E
D W O I L V M O V H T T N
Y L C L U E S O U E D A Y
B W E Q N Q J W F S A E R
K D I T R D R D X B Y D R
```

◊ ALIBI

◊ BLOODSTAINS

◊ BODY

◊ CLUES

◊ CORPSE

◊ DEATH

◊ DENOUEMENT

◊ JEALOUSY

◊ KILLED

◊ LEADS

◊ LYING

◊ MOTIVE

◊ MURDER

◊ OPPOR-
   TUNITY

◊ POLICE

◊ RED HERRING

◊ SUSPECTS

◊ WEAPON

```
C E C I C G C L A E R E C
A C N C S R A E N C P E V
E S E E H C K F C L A S S
V B F C O N E P E H S A Y
C L A N D E S T I N E R G
O C O E L N T E S T T S D
P I L I R E C L D I N Y C
Y C R U R E R A U L O C V
S E C A M H T C T G T L E
E M G C P S R P T F U R D
C I S A L I I A A U O Q I
C H C A C H E L V H R C N
P C C L O V E R Y T C C A
E V I T A R A P M O C C Y
C I P C R C A L L O U S C
```

◊ CACHE

◊ CAGEY

◊ CAKES

◊ CALLOUS

◊ CAVEAT

◊ CEREAL

◊ CHAPTER

◊ CHEESE

◊ CHIME

◊ CIGARETTE

◊ CIRCUITRY

◊ CLANDESTINE

◊ CLASS

◊ CLOVER

◊ CLUMSILY

◊ COMPARA-
TIVE

◊ CROUTON

◊ CYANIDE

14   Cartoon Characters

```
N N B G Q Y N H P O J G T
A W W L F Q J R O J G T X
M K L O O F Z D P L A G F
T R K M R S Y W N C Q E B
A O P G G B S S P I K E I
B C R U O Y E O S S Q L N
S J M O P D T I M M G D B
B B C M S X R N L W U M Q
Y S I G Y E Q E O R J R V
O T U L P F L M D Y A M F
S I K N G Y X B V N O H G
L G C K U O H B B T U M C
O G D F R B O B M U D N W
J E Z P W W F F F K B T S
F R B A M B I D Y D A Y G
```

◊ BAMBI

◊ BATMAN

◊ BLOSSOM

◊ BUBBLES

◊ CHARLIE
  BROWN

◊ DUMBO

◊ GOOFY

◊ GUMBY

◊ MOWGLI

◊ PLUTO

◊ SCOOBY DOO

◊ SMURF

◊ SPIKE

◊ STIMPY

◊ TIGGER

◊ TOM

◊ TOP CAT

◊ UNDERDOG

15 Ability

```
L A V H B Q T Q A S Z T P
T Q Y S S E W O R P A R L
D W T X W N O R U L U O N
E I I L Z E X V E C N Q Y
X F L A I R D N D R H I C
T A I A A G T E M Y P N N
E E C S H Y F E C R O F E
R M A A P T I T U D E O I
I E F G N H I L H F Z T C
T A I E K A S W F J H G I
Y N S N K G R I E G Q G F
O S A I M W C E I R C H O
H C C U D A B M W U E T R
K D M S C U H O G O T H P
Q C K Y Z E C B W L P G W
```

- ◊ APTITUDE
- ◊ DEFTNESS
- ◊ DEXTERITY
- ◊ EFFICACY
- ◊ ENERGY
- ◊ FACILITY
- ◊ FLAIR
- ◊ FORCE
- ◊ GENIUS
- ◊ KNACK
- ◊ MEANS
- ◊ MIGHT
- ◊ POWER
- ◊ PROFICIENCY
- ◊ PROWESS
- ◊ TALENT
- ◊ TOUCH
- ◊ WHERE-WITHAL

```
A N C E T E F J V X Q P G
L E D I R E K I B S U V N
O D O N A T I O N S N O I
T S P O N S O R A D A R V
T R B U W V U A M R U Q A
E S E Q H E G A Z N A G H
R W R A I Q R G N A N K S
Y I P S S A B I N I B O D
L M H I T U N O C I R G A
T M C H D G R N V A K N E
M I O C R Y A E F J F I H
U N I T I D K F H Y I B H
D G G M V C L C H U C N R
X R A Q E E F U U H N J L
U Y T I R A H C J L K T Q
```

◊ BIKE RIDE

◊ BINGO

◊ CHARITY

◊ DANCING

◊ DONATIONS

◊ FETE

◊ HEAD SHAVING

◊ HIKING

◊ KARAOKE

◊ LOTTERY

◊ LUCKY DIP

◊ MARATHON

◊ RAFFLE

◊ RUNNING

◊ SPONSOR

◊ SWIMMING

◊ TREASURE HUNT

◊ WHIST DRIVE

17 Machines

```
E W K V N Z E A Q V C L R
F R A N K I N G U X I H D
U F P V E M I T T I U R F
T A H V E N D I N G C D N
K C C M B V F E N I G M A
I S F G N I M A G P Q N N
L I T H O G R A P H T R G
G M R E C O R D I N G H N
N I K Q X E G R E H W T I
I L V A T S O N B A E Q H
L E U T R W M X I K X D T
L P E U I A Q S C Y J O A
I N Z N A S O I O A L R B
K A G L N V T K I S G F D
J R Y B W E G Z E V K L E
```

◊ BATHING   ◊ FRUIT   ◊ ROWING

◊ CIGARETTE   ◊ GAMING   ◊ SLOT

◊ ENIGMA   ◊ KARAOKE   ◊ TICKET

◊ FACSIMILE   ◊ KILLING   ◊ TIME

◊ FLYING   ◊ LITHOGRAPH   ◊ VENDING

◊ FRANKING   ◊ RECORDING   ◊ WAVE

18 Sauces

```
A Z E M O L O J I Y C M X
Q S M S N C J T L V U Q L
M N A E I U O Q A L Y E P
A O W L Y A B A P M S E A
D C R O S C N V Z I O T C
B A A N R A O N B N E T Z
G O G G A B V U O T X E I
S H Y A S Y O E I Y G U U
F B D P M S L H R L L Q D
V F V S A P W N E D W N C
O I R E P P E P L U E A A
T G L A L C W I X T P L S
S L K O E T U O L E V B G
E U S Q I A U G R A T I N
P M E A B A F W S A K W I
```

◊ AIOLI

◊ APPLE

◊ AU GRATIN

◊ BLANQUETTE

◊ BROWN

◊ CAPER

◊ ESPAGNOLE

◊ GARLIC

◊ LYONNAISE

◊ MORNAY

◊ PEPPER

◊ PESTO

◊ PLUM

◊ SALSA VERDE

◊ SOUBISE

◊ TOMATO

◊ VELOUTE

◊ WHITE

```
P U D N U O R Q L A N Z T
S H Z Q S K Z L B B M Z T
S A K P O V C A T T L E E
B E U O P U D L O H S H K
P R S H O O T O U T L E C
S R A R C K Q L E B I N O
G K A N O A B E A I X R R
N U P E D H R O G W M Y C
I T B Q T I K E B D S S Y
H O W D Y T N W X F F T V
C M E A C S A G Y Y O A A
N H N D N H V Y I E Z R D
Y O W N O T A Q W R E R D
L R B B D R E U S M O C A
I N F Y K M L D G B O N E
```

◊ BOB FORD

◊ BRANDING IRON

◊ CATTLE

◊ DAVY CROCKETT

◊ HENRY STARR

◊ HOLD-UP

◊ HORSES

◊ HOWDY

◊ LYNCHING

◊ OUTLAWS

◊ RODEO

◊ ROUND-UP

◊ SHOOT-OUT

◊ SPURS

◊ STEER

◊ TOM HORN

◊ WANTED

◊ WYATT EARP

"EARTH" Words

```
G V C C C S R E V O M J Q
N I J U X X I Q Q Q H V Z
I U V Y G W A S M R O W H
R K T C L O S E T G Q O O
E U K S P I I K Q O C T Y
T E S K U S G K Q U A K E
T O T B R E D H Z P B E N
A R A K G O M Y T T T R G
H N R B W X W B R S O V I
S S R E L L U F I B R O X
T R G E X P B Q R E P T L
W K R D F N O I T W S N Q
U A S Z I G U Y Z M Q W N
R S H A K I N G Q K G O G
Z K L U W S D O W A R D S
```

◊ BORN	◊ LIGHT	◊ SHATTERING
◊ BOUND	◊ MOVER	◊ SIGN
◊ BRED	◊ NUTS	◊ STAR
◊ CLOSET	◊ QUAKE	◊ WARDS
◊ DOWN TO	◊ RARE	◊ WORK
◊ FULLER'S	◊ SHAKING	◊ WORMS

21   Abide With Me

```
B R M W N T P E C C A O U
O K L W Q I X C R S D O D
H T O L E R A T E F R H O
S L R A E B R T D F U D E
T M H M Q W T T S I Q P R
N P A H D L D W A U B V E
E I T L E O T C W R S E V
N G S T I C K O U T R S E
A U E R C V Q E T N Y Y S
M O R O C B E N R E J C R
R P S T V C Z O W U T D E
E D M T I C O C N S D F P
P P Z E A A O O A T X N Z
T D H M P Y W L M S W F E
W B T S A F D A E T S L L
```

◊ ACCEPT   ◊ LIVE ON   ◊ STAY

◊ AWAIT   ◊ PERMANENT   ◊ STEADFAST

◊ BEAR   ◊ PERSEVERE   ◊ STICK OUT

◊ DWELL   ◊ REMAIN   ◊ SUSTAIN

◊ ENDURE   ◊ REST   ◊ TARRY

◊ LAST   ◊ SETTLE   ◊ TOLERATE

Rocks and Minerals

Q	C	T	O	C	T	O	T	C	Y	X	U	M
L	E	N	E	M	E	R	Y	H	Q	N	N	O
K	T	D	I	J	S	A	H	R	U	O	X	G
B	A	G	K	Z	P	F	K	Y	A	A	R	R
A	L	I	G	N	I	T	E	S	R	S	E	A
S	S	O	T	B	N	F	V	O	T	B	W	P
A	L	V	O	U	E	Y	B	B	Z	E	W	H
N	M	I	S	D	L	R	R	E	Z	S	A	I
I	Q	T	L	H	S	L	X	R	G	T	N	T
T	C	R	J	K	F	T	G	Y	V	O	D	E
E	A	O	L	B	U	R	O	L	N	S	Q	U
M	B	A	A	Q	U	S	M	N	E	O	W	F
Y	H	L	M	L	J	D	O	Y	E	B	F	H
C	A	E	T	I	N	A	I	V	U	S	E	V
X	R	Q	H	K	B	I	B	X	D	P	C	Z

◊ ASBESTOS

◊ BASANITE

◊ BLOODSTONE

◊ BORAX

◊ CHALK

◊ CHRYSO-
  BERYL

◊ COAL

◊ EMERY

◊ GRAPHITE

◊ JET

◊ LIGNITE

◊ MARL

◊ ONYX

◊ QUARTZ

◊ SLATE

◊ SPINEL

◊ VESUVIANITE

◊ ZINC

Garden Creatures

```
P  I  I  G  E  W  G  Y  M  A  Z  N  D
G  G  H  B  U  M  B  L  E  B  E  E  R
U  J  T  H  C  L  I  R  A  R  H  K  Q
B  P  I  R  H  T  S  S  R  I  F  T  S
Y  W  B  Z  I  A  W  Y  T  J  D  E  T
L  O  B  K  R  N  K  Y  H  B  A  N  N
A  O  A  A  U  G  B  G  W  N  E  R  W
E  D  R  M  S  I  O  R  O  U  Q  O  D
M  L  O  T  O  H  S  X  R  T  T  H  I
M  O  L  E  E  S  M  B  M  H  L  Y  H
R  U  F  G  W  A  Q  A  R  W  X  W  P
H  S  D  V  S  A  R  U  Y  X  R  A  A
E  E  I  T  M  O  S  W  I  F  D  D  K
H  V  A  S  H  H  T  P  I  T  L  J  G
R  J  E  R  Z  F  Q  T  R  G  O  Y  U
```

◊ APHID

◊ BUMBLEBEE

◊ EARTHWORM

◊ EARWIG

◊ GNAT

◊ HEDGEHOG

◊ HORNET

◊ MAYFLY

◊ MEALY BUG

◊ MOLE

◊ MOSQUITO

◊ RABBIT

◊ SLUG

◊ THRIP

◊ THRUSH

◊ WASP

◊ WOODLOUSE

◊ WREN

24 Bills

```
P C W F A G E R B A K K E
U M E E A T Z B W C S X N
J C U T R H R W Y G Q A G
S A E L A B M E M K D K V
W S A L Y D E F A X Y B A
B E E K G L D N N C E T L
D Y Y D I T L P I A H O L
C X T N C Y E I U U D E Y
H M G M N B Y M E D K A R
I B D U F E O E I R R F Q
C R I E J N X E N R O T W
Z Y A X T U X L U N G O Z
H S D M B F E M P V T H I
O O Y O F Y P M I U D H Z
A N U Y C N O S R E D N A
```

◊ ANDERSON   ◊ FAGERBAKKE   ◊ ODDIE

◊ BEAUMONT   ◊ GATES   ◊ O'REILLY

◊ BIXBY   ◊ HALEY   ◊ TIDY

◊ BRYSON   ◊ MEDLEY   ◊ TREACHER

◊ CODY   ◊ MURRAY   ◊ WERBENIUK

◊ ENGVALL   ◊ NYE   ◊ WYMAN

25   State of the Nation

```
E Y G R E N E M O H N X A
V L T M O D E D A R T N G
W Q E K R W I P E T T D R
G Z Q C O G J L D H N S I
E P X R T S P O E A G B C
O S K T N O Y M L G S O U
G C D I E Q R D C O S J L
R G A P A M J A K D X E T
A L S L L I H J T H Q T U
P C N Z I J E U N E V E R
H I S T O R Y F F U N A E
Y O G F J H A M R A G B V
L G L C K W Z T H F U I X
R A C E R E L A T I O N S
G N W U J Z J T H R R P A
```

◊ AGRICULTURE   ◊ GEOGRAPHY   ◊ PEOPLE

◊ ANTHEM   ◊ HILLS   ◊ PLAINS

◊ ELECTORATE   ◊ HISTORY   ◊ RACE RELATIONS

◊ ENERGY   ◊ JOBS

◊ FAUNA   ◊ LAND   ◊ REVENUE

◊ FLAG   ◊ LAW   ◊ TRADE

◊ WORK

26   Racecourses for Horses

```
N Q R R A Z E R O S Y M P
W B Y N V P T Q O D A E T
V A T T L Q S M W Y R F N
S Y O O B J E M D T M W D
I A C B C Z O T H B O T O
L A A T O S C H K T U G W
Z T Z N P O A I S O T N N
H A Z E R M G D O N H V P
J C O K I D R T F T J X A
R E A L H A N S H I N R T
E A T H P E V U N I T V R
H O N O K E X E T E R Q I
N L E D R L I H L E D S C
D L P T O R K K A J R C K
X Q X B Y V K O M M D Y N
```

- ◊ ASCOT
- ◊ AYR
- ◊ BATH
- ◊ CORK
- ◊ DELHI
- ◊ DOWN-PATRICK
- ◊ EPSOM
- ◊ EXETER
- ◊ HAMILTON
- ◊ HANSHIN
- ◊ HEXHAM
- ◊ LEOPARDS-TOWN
- ◊ MYSORE
- ◊ NAAS
- ◊ PERTH
- ◊ THIRSK
- ◊ YARMOUTH
- ◊ YORK

Hairstyles

```
M P P E G S T I A L P W K
Q E O S N O I S N E T X E
F R R Y N R K T C D F X I
L M C U N C G R E B Z V H
D I B X I V E I Y T I L I
Q Y A L O W S R U W B O R
O U W T C O M B O V E R S
T O I U G U R E Z S E Z W
C N T F L I S L Q A I L O
U N A L F H P X X W I Z R
U J E F I P M O H I C A N
D T T N F O R F A B J I R
K I G X M U S J O D X O O
X L P U J W O B R A I D C
E S A J V P X B G V D J L
```

◊ AFRO

◊ BOB

◊ BOUFFANT

◊ BRAID

◊ BUN

◊ COMB-OVER

◊ CORNROWS

◊ COWLICK

◊ CREW CUT

◊ CROP

◊ EXTENSIONS

◊ MOHICAN

◊ MULLET

◊ PERM

◊ PIGTAIL

◊ PLAITS

◊ QUIFF

◊ SHINGLE

28   Early

```
C  J  P  E  G  I  R  E  R  U  T  U  F
P  Z  I  N  F  R  O  N  T  M  C  E  O
D  V  U  P  E  L  J  K  G  L  R  Z  R
A  O  A  A  C  Y  X  M  A  O  F  V  T
Y  C  D  U  R  Q  N  I  T  L  O  S  H
B  Y  D  E  M  D  T  S  J  C  R  Y  C
R  J  N  M  M  I  N  G  D  I  W  V  O
E  Q  A  X  N  I  G  J  F  W  A  O  M
A  T  H  I  A  U  T  N  P  H  R  N  I
K  L  E  P  P  D  A  D  I  R  D  T  N
F  O  R  M  E  R  V  X  O  N  I  U  G
T  O  O  S  O  O  N  A  Z  O  W  O  R
E  M  F  D  W  N  P  Q  N  Z  G  A  R
R  T  E  P  I  R  N  U  W  C  I  N  D
C  P  B  I  Q  S  I  K  D  U  E  E  I
```

◊ ADVANCE

◊ BEFOREHAND

◊ DAWNING

◊ DAYBREAK

◊ FIRST

◊ FORMER

◊ FORTH-
  COMING

◊ FORWARD

◊ FUTURE

◊ IN FRONT

◊ IN GOOD TIME

◊ IN STORE

◊ INITIAL

◊ PRIOR

◊ READY

◊ TOO SOON

◊ UNRIPE

◊ YOUNG

29 Fabrics

```
L F X R E E S P S T H B U
W J R E K S C L N F L L T
S Y A K A V S A T E Y E S
B N U C L N H M L E Y W F
B O D U Z H J I H N I I J
Z L D S N U O N A N K L M
W R T R O T I H C A F I G
W O S E Y T K E H F E O M
L N R E A A Y K G W O O L
I E Y S R E N Q S W L I G
S P A T T G H E I E Q L C
L U S T E E E B S X S S V
E A E I H M D K R K T K Y
Q G M D D E I N A Q Z I G
S G U Z E N R R F Q N N V
```

◊ ASTRAKHAN   ◊ MOLESKIN   ◊ SERGE

◊ FELT   ◊ OILSKIN   ◊ SUEDE

◊ KHAKI   ◊ ORLON   ◊ TOILE

◊ LACE   ◊ RAYON   ◊ WINCEYETTE

◊ LEATHER   ◊ SATIN   ◊ WOOL

◊ LISLE   ◊ SEERSUCKER   ◊ WORSTED

30   Narnia Chronicles

```
P T J U S V X S Z S N A U
M I S I W E L S C Q U H H
C S U T R U K G H D T I C
D R T X C V V D U R L N N
D O L L G L E L I I A O D
A C T R A I N B C R D K N
W E H M L K D L N N S E A
N O Q W A U Z I O Z U O L
T R R Q O U A L T Z N T N
R J E L K R G S Y A I Q E
E H C I D S A R L R T M H
A U I H D W H S I Y L I C
D N Y N A L A I N M O R R
E G G F C R O R F J V A A
R Z A Y M E N S R T F Z A
```

◊ ARCHENLAND   ◊ GUIDE   ◊ SHIFT

◊ ASLAN   ◊ LONDON   ◊ SOLDIER

◊ C S LEWIS   ◊ MAUGRIM   ◊ TISROC

◊ CHARN   ◊ MIRAZ   ◊ TRAIN

◊ CLOUDBIRTH   ◊ NARNIA   ◊ VOLTINUS

◊ DAWN   ◊ RHINCE   ◊ WORLD WAR
  TREADER

31   "E" Before "I"

```
R  U  S  S  I  E  N  G  E  I  P  A  N
F  E  I  L  H  G  I  E  V  N  I  E  X
P  E  C  I  D  E  I  T  Y  E  E  M  S
Y  R  R  E  I  G  N  X  O  O  K  I  K
T  U  X  S  I  E  T  P  E  P  T  S  F
I  S  Y  B  Z  V  O  R  L  I  J  N  E
E  I  K  A  F  T  E  O  E  O  J  I  I
N  E  I  I  A  M  H  T  N  E  I  K  E
A  L  U  M  E  I  S  E  T  H  N  K  N
T  U  O  D  O  O  W  I  I  U  O  E  H
N  N  K  R  Y  A  B  N  E  N  H  I  I
O  A  T  I  E  C  N  O  C  V  O  T  E
P  T  I  E  B  L  A  L  E  E  D  U  K
S  M  D  I  Z  S  E  D  D  I  Z  P  S
E  M  E  I  E  C  X  I  W  L  Y  Y  R
```

◊ ABSEIL	◊ HEINOUS	◊ OSTEITIS
◊ ALBEIT	◊ INVEIGH	◊ PROTEIN
◊ CONCEIT	◊ LEISURE	◊ RECEIVE
◊ DECEIT	◊ LORELEI	◊ REIGN
◊ DEITY	◊ NIKKEI	◊ SPONTANEITY
◊ GNEISS	◊ ONOMATO- POEIA	◊ UNVEIL

```
F S W U P A B U X S A H S
M T N L G L D L K M U E H
I L R K B L L A B E S A B
R I I P Y O T E Q R N O U
A T E G D E L S O W E U I
E S R G B C A H Y B P O L
B O A O Y O Y N U E U M D
Y R A C U B T C B L P E I
D R I S B N S H X T P C N
D B E O R K D Q C T E C G
E Y H Z I U S A T A T A S
T L I B C N U P B R Y N E
Z Z U B K L J Z N O X O T
U R V O S A N R S B U F C
K R I W K W S R P B P T J
```

◊ BASEBALL

◊ BICYCLE

◊ BRICKS

◊ BUILDING SET

◊ HOBBY-
   HORSE

◊ KITE

◊ MECCANO

◊ PUPPET

◊ RAG DOLL

◊ RATTLE

◊ ROUNDABOUT

◊ RUBIK'S CUBE

◊ SKATEBOARD

◊ SLEDGE

◊ STILTS

◊ TEDDY BEAR

◊ YACHT

◊ YO-YO

"A" Words

```
Y Y A B D A A G V Y Y S T
R T A B V U A I B C F S R
W I A K E D I S A N I J S
A C R M I D P A A E L R A
T O A A A M Q P H G P H E
L R D A T H B T O A M B Y
B T N S Z T A O A L A M A
P A E D J F E A E R R S S
D E G I S P B N Y A Q D T
X P A A V O A D D E D L U
N A Z R U V N Q B A R M T
A G M T A V O I D A N C E
N A R B C T E N O T E C A
N A S P E C T Y A H E C E
A C V O X R M A E I C G A
```

◊ ABOUT   ◊ AKIMBO   ◊ ASTUTE

◊ ACETONE   ◊ AMBER   ◊ ATHEIST

◊ ADDED   ◊ AMPLIFY   ◊ ATROCITY

◊ AGAPE   ◊ ARMY   ◊ ATTENDANCE

◊ AGENCY   ◊ ASIDE   ◊ AVOIDANCE

◊ AGENDA   ◊ ASPECT   ◊ AWRY

34　**Made of Paper**

```
S S R K N G L K Y I H Y H
T E E O N D Q E I R E K A
H I T L I I P R K X G T N
S C S A Z O L B G S A C D
A O O S L Z A J X A L O K
O K P E U P Y S Q C L F E
T M V T J E I T J K O F R
M N I K P A N Q E L C E C
E V M S P D G L E B E E H
P H J E G P C B E Q C F I
C O U P O N A M T W I I E
R I P N D L R A I G O L F
Q L F O E Q D P K N V T C
D U C X N M S E E Q N E W
T R E P A P L L A W I R C
```

◊ COFFEE
　FILTER

◊ COLLAGE

◊ COUPON

◊ ENVELOPE

◊ HANDKER-
　CHIEF

◊ INVOICE

◊ KITE

◊ LABEL

◊ MAP

◊ MENU

◊ NAPKIN

◊ PLATES

◊ PLAYING
　CARDS

◊ POSTER

◊ SACK

◊ TISSUE

◊ TOWEL

◊ WALLPAPER

35　Help

```
E Y B C H E K U N A R T E
D S C G D A R C P V Y N L
R B R K D P I U A H J C A
O E B U R D U N T B O E E
S B T O N E N S G R R L H
N D P A C V I O X U U B D
O U A A D S X Z C E S N P
P E L R S O R M Q E A S B
S V S A V G M Q E C S S X
D R B I C H A M P I O N E
V E O F V O U Z O W U L Q
T S M M R D D R U C T D K
X Y L C E G A R U O C N E
G W C R P Z Q K A N T A Z
D N A H A D N E L K D P I
```

◊ ABET

◊ ACCOMMO-
　DATE

◊ ADVISE

◊ ASSIST

◊ BACK

◊ CHAMPION

◊ CURE

◊ EASE

◊ ENCOURAGE

◊ HEAL

◊ LEND A HAND

◊ NURSE

◊ NURTURE

◊ PROP UP

◊ SECOND

◊ SERVE

◊ SPONSOR

◊ UPHOLD

```
U G A E Y O K A Q N T Q N
T E K U E G Z W O S J T A
N U Z H R L H I B R R O H
L X G R B N T R B A O A B
M O L Q A A E S X B V D G
N J P B L V X R E T E P B
N O I E O J E R E M I A H
V V V R I A H O S X A H B
R E P S C T M E A J E J K
R C O T U W G J F O O L B
S M S R J D O A H C E H P
A G C H U F O Q U U W J N
K Y N J D E I X M Z O K C
B V P I E Y N A E E Z T G
A A Z E K E S J L C S S V
```

◊ ACTS	◊ JOB	◊ LUKE
◊ AMOS	◊ JOEL	◊ PETER
◊ EXODUS	◊ JOHN	◊ PROVERBS
◊ EZRA	◊ JUDE	◊ REVELATION
◊ JAMES	◊ JUDGES	◊ RUTH
◊ JEREMIAH	◊ KINGS	◊ SAMUEL

Time

```
W A T N W A D Z O X O E E
I W J N E N C J E B W L H
A D C O K R L L B A Z N R
N N E V E R I S T M R T D
C E T S S H X C T H M L R
N Z D I W M H R C I T X Y
W E C T Q F L O L I I W B
O E S D O U P L A K C T Y
D R Z B Y E I P C W K X U
E F C A G S I T W H H N Y
C J L Y E I R T Y M F E O
A E G C B F N E R I A L N
D G O M Z N Y G R A O X S
E N E Y R O T S I H E Q T
D G K S H E T V P R J Y W
```

◊ AGES

◊ ANTIQUITY

◊ DAWN

◊ DECADE

◊ DELAY

◊ EARLY

◊ EPOCH

◊ ERSTWHILE

◊ FIRST

◊ FREEZE

◊ HISTORY

◊ IDES

◊ MILLISECOND

◊ NEVER

◊ TICK

◊ WATCH

◊ WHEN

◊ YEAR

38   Robin Hood

```
V Y Z T Y L U W Q Q N Y P
Y W D S S S Y T X E G E I
C Y K R W E F B M W F L H
D F U O A R Y A P C X S
D G R G B H R O L L R O N
S R W Z R R C D F J L L I
A G A G E I C I S S O A K
E N I M X W S D R M Q V D
C I O E A H N E Y G O U W
N T O L I E L U X Q N H Q
A N T U G T C H O A M I V
M U V E K V G M M Y T H K
O H L F F I R E H S V N S
R M N H O J E C N I R P Q
A Y T I L I B O N Y F C N
```

◊ ARROWS   ◊ LEGEND   ◊ PRINCE JOHN

◊ BALLAD   ◊ LOXLEY   ◊ ROMANCE

◊ FOREST   ◊ MERRY MEN   ◊ SHERIFF

◊ HUNTING   ◊ MYTH   ◊ SIR GUY

◊ KING   ◊ NOBILITY   ◊ SWORDS
  RICHARD
                ◊ OUTLAW   ◊ TAXES
◊ KINSHIP

```
T H G I N G O D E E R H T
B E P U T E A C P G Z O F
R P N P Y M S T R E T C H
A N G C N Q I V L O G X B
N D O X C V Z O M N Y Y X
D O C T O R H O O K I Y E
X Y S J S S K T J E T L A
B J N B Y O A S I S D P S
M O V S K K B G H J C P Y
B D O E B E G N M Z O U B
I P O Q W J X O N T D S E
Z S J N Y G T F X A A R A
U I A U U E S O R Z R I T
X B Y P L D B T C B C A S
C Y S S B Z S V C A R K N
```

◊ AIR SUPPLY

◊ BON JOVI

◊ BOSTON

◊ BOX TOPS

◊ BRAND X

◊ DARTS

◊ DOCTOR HOOK

◊ EASYBEATS

◊ HOLE

◊ KOKOMO

◊ MOTELS

◊ OASIS

◊ O'JAYS

◊ STRETCH

◊ STYX

◊ TEN CC

◊ THREE DOG NIGHT

◊ TOTO

40   Shades of Blue

```
N A I S S U R P C E A N J
L P F L O T T Z A S A L E
C S J L Y R B E U Y X L T
A Y P E U G R D C U A B F
M L A E T R I H T W L O R
B T K T N C G D X E E N K
R J G S O O H I U D C D A
I X U W F R T D M W A I D
D E N I M N E I W Y R R I
G J X S T F U T N T O R K
E B L M R L I W Z D L P P
N U F A L O Q C Z U I A D
N J N P O W D E R G N G Y
S C Q Q Q E H W F A A K O
E W I X M R Y V A N S B O
```

◊ BLEU DE FRANCE

◊ BONDI

◊ BRIGHT

◊ CAMBRIDGE

◊ CAROLINA

◊ CORN-FLOWER

◊ CYAN

◊ DARK

◊ DENIM

◊ INDIGO

◊ NAVY

◊ POWDER

◊ PRUSSIAN

◊ SKY

◊ STEEL

◊ TEAL

◊ TRUE

◊ TUFTS

```
Y F M K G L I N C O L N P
P P R E S T O N C K S E U
L O U C L D U A N D T O O
Y B C P N A R T E E R S R
M E O O X L B E R T E Y U
O L L Q I Y L B E B Z E R
U L G S V T O P T K L D T
T S L L B R P Z S Y D R H
H E T M O O B J E L W O S
J E D U R H A M H B L F V
T Z G I Q F T C C B C E M
X H P V S N H M N Y B R W
E O R N O T H G I R B E G
N M E V J T E R W A S H G
E T L P C L H C I W R O N
```

◊ BATH

◊ BRIGHTON

◊ CARLISLE

◊ DURHAM

◊ ELY

◊ HEREFORD

◊ LEEDS

◊ LINCOLN

◊ LONDON

◊ NORWICH

◊ PETER-
   BOROUGH

◊ PLYMOUTH

◊ PRESTON

◊ RIPON

◊ TRURO

◊ WELLS

◊ WINCHESTER

◊ YORK

42   Bad

```
M A S E T W F X V N W D E
B Y L L A C S A R A I N L
B H N B R O D X O S E R I
D S G I U V I L H T T E V
Q P H R E U Z O T Y P P Q
R D A R S V N O H I U R H
A E S O W E R Y I F R E D
N E T H S U L R D A R H E
C S L T U U S B E V O E K
I L Y D F E J H O L C N C
D O U N Q W Q W U O G S I
E V I T C U R T S E D I W
V S S U O I D O K K M B S
I H V L I V U G N O L L E
L T W N P M D Q P G L E W
```

◊ ADVERSE

◊ CORRUPT

◊ DESTRUCTIVE

◊ DISHONEST

◊ EVIL

◊ GHASTLY

◊ HIDEOUS

◊ HORRIBLE

◊ NASTY

◊ ODIOUS

◊ RANCID

◊ RASCALLY

◊ REPRE-
   HENSIBLE

◊ ROTTEN

◊ SINFUL

◊ VILE

◊ WICKED

◊ WRONG

43   Sailing

```
K S G W W U Y H L J V G G
C F A D K K E L K H N N R
N E L I O L O R X R I C C
M E F O M R R G E F T W P
I R M Z A X R L F M C N V
P W K N S T L U Y S H I N
H R F V T I L X B K A L F
E N O I T A G I V A N U M
Z L P W O H E G T B N A D
N Q C Y W M C N R Q E P R
S N P A I B V A N G L R J
F T V N N E G P B E Q A T
T T E J G N E Z Z I M T R
C W T R I F I K S L N F W
L H T B N D G B O A T S I
```

◊ BINNACLE   ◊ HELM   ◊ REEFS

◊ BOATS   ◊ LUFFING   ◊ ROLL

◊ CABINS   ◊ MAST   ◊ STERN

◊ CHANNEL   ◊ MIZZEN   ◊ TARPAULIN

◊ FLAG   ◊ NAVIGATION   ◊ TILLER

◊ FLOAT   ◊ PROW   ◊ TOWING

44   Cakes

```
A R Y Q N I S I A R M C R
G N A V O L V A P Y A Q K
X E G D W X Z D R R O R R
J H E E U K I R R L S C
F U V I L D A O M E V H Z
R A E V G F T I S H O Z R
U W S N T W O W E C T E X
I A I Z O E I O O Q Y M A
T C C J I S S L D A U T N
I L J O S C A A L F L U A
V I S R C T Z D F P K H T
T R O D E O R I P F C R L
Z L E S C O N E S O R Z U
L E N M I S X U M N L O S
G M B N Z Z G F T U L V N
```

◊ ANGEL FOOD   ◊ FRUIT   ◊ RAISIN

◊ CARROT   ◊ ICING   ◊ SAFFRON

◊ CHERRY   ◊ LAYER   ◊ SCONES

◊ CHOCOLATE   ◊ MOCHA   ◊ SIMNEL

◊ COCONUT   ◊ MUFFIN   ◊ SULTANA

◊ FAIRY   ◊ PAVLOVA   ◊ SWISS ROLL

45   Jewels and Trinkets

```
N B N P B T S N P Q S Y E
I S F S D T L M W I Q O C
S C H A R M R T V O L D G
N U Z L E R A U E D R C C
D F N C B T E B E L E C O
E F A B X P P E H D K I L
C L K C U O F P R Y O N L
A I N Z R R T E L S H E A
L N K D A X S B L D C D R
K K R G J S Z T F A P X L
C A G Z R C T K G E L C O
E B E I C I Y C P B B E C
N X N Y A Q R K K H M I K
W G H R F G H C H A I N E
S X A F M V T Y C B D V T
```

◊ ANKLET   ◊ CLASP   ◊ EARDROP

◊ BEADS   ◊ CLIP   ◊ LOCKET

◊ CAMEO   ◊ COLLAR   ◊ NECKLACE

◊ CHAIN   ◊ CROWN   ◊ PEARLS

◊ CHARM   ◊ CUFFLINK   ◊ SUNBURST

◊ CHOKER   ◊ DRESS RING   ◊ TIARA

46 Lakes

```
P G U J O A W W K M V W D
O R S F A I I M D Q A M A
N E W B L M R N V I R F A
T A Q E E Q E A A K R Q M
C T N F R P Q H T W I H U
H S E K R U J Q I N K V O
A L L Z E Q A N H A O W U
R A J I S R D G U R Z L I
T V R J E E R G E T R R K
R E F S R B A E H N O E G
A D S M Y N A B T M O V U
I A E U A C E A H A H O C
N R H M E Q O F F L R H S
E J L V G J X M N N A C M
Y L A B I R A K O D D Y B
```

◊ CHAD   ◊ IHEMA   ◊ OHRID

◊ COHAHA   ◊ KARIBA   ◊ ONEGA

◊ COMO   ◊ KIVU   ◊ ONTARIO

◊ CRATER   ◊ KWANIA   ◊ PONT-
CHARTRAIN

◊ ERIE   ◊ MANAGUA
◊ RWERU

◊ GREAT SLAVE   ◊ NASSER
◊ WINDERMERE

Words Without Rhymes

```
U E P Y E M A R A T H O N
N B A L Q Y E Q M T B Z Z
S I B W A L R F L X U W A
F J N K K N I D Q R F S N
G E R T U H K Q N E C Z U
Y N J M H W R T U U V T W
G R I M O A M N O I A C M
B E P H L B E F M N D L D
L F R M T R L X R G I E A
I S O X I E G I V F S V Q
L N M S F A M E G P H I K
D A I D L D K O M E L L I
X R S X O T H I S Y W O X
D T E V G H L F L O W T E
G D Z B H G H T X I S O M
```

◊ ALMOND

◊ BREADTH

◊ FILM

◊ GLIMPSED

◊ GOLF

◊ LAUNDRY

◊ LIQUID

◊ MARATHON

◊ NINTH

◊ OBLIGE

◊ OLIVE

◊ PLANKTON

◊ PROMISE

◊ SIREN

◊ SIXTH

◊ SOMETHING

◊ TRANSFER

◊ WOLF

```
M C F L I P P H M P I L J
A P F L P L O I P A K M P
E I Q I I X I I L I Y I P
R L L P L P T P O C L N H
T S S I S L C P U I R A H
S S P L M I I H H G K I C
P L G S Y L R P A X C P C
I I Y N G W H F H R I S P
L P C O W S L I P L T L I
S A L N P I U V S T S I L
E W I L P N R R U Z P P L
L A P P C I E L C I I P I
I Y E L R V I T G B L E P
P R I A O P G L I P Y R G
W P U C S L I P N O O S E
```

- ◊ CALIPH
- ◊ CIRCLIP
- ◊ COVER SLIP
- ◊ COWSLIP
- ◊ FILLIP
- ◊ FLIP CHART
- ◊ FLIPPER
- ◊ GYMSLIP
- ◊ LIPSTICK
- ◊ NONSLIP
- ◊ OXLIP
- ◊ PHILIP
- ◊ SLIP AWAY
- ◊ SLIP NOOSE
- ◊ SLIPPERS
- ◊ SLIPSTREAM
- ◊ TULIPS
- ◊ UNCLIP

```
S O Z V G T S T R A G I C
R Z Q I K S T W T I T A N
A A L N S A R K A S A F R
M R W M G L Z I G R S W Q
M A W U Q V O J D U S H K
M M A T W A Z D N Q O K G
Z A U U G M G E Q Q X C Z
L T T A R V V N C B F V D
E B S E K K W E R E C O B
I N M E M O R I A M R K R
E A P A Y J K Z N M W A D
L N C A H L O Y I T T D I
W F C A R M E N Q N E B T
W D K T L I N Z A D K R G
S Y I R R Z S N E R X A B
```

◊ ANTAR

◊ AUTUMN

◊ CARMEN

◊ EN SAGA

◊ IN MEMORIAM

◊ LA MER

◊ LINZ

◊ MA VLAST

◊ MARS

◊ NIMROD

◊ PARIS

◊ SARKA

◊ TAMARA

◊ TASSO

◊ TITAN

◊ TRAGIC

◊ VENUS

◊ WINTER

50 Japan

```
I A S N O B S K G I G Y O
Z A T A G I N A A H N E T
J G S N A E C M M S U K N
I T U A U M I B E U Q A I
K Y O T O S I S G S R S H
A Y I C Q T G H H C N A S
R V A Y O G A N S A J T I
A M R I W A J C I O Q H Y
B U P W R M A Z O S R M M
I A R S K Q T R V S I I C
C M Z Y A X I R K Y V R H
E B O K R G K M G J N D I
O X A K A M A K U R A Z W
X B O M T P X D L X U W K
Y A I K E E O D A N V Z X
```

◊ AKITA	◊ KAMAKURA	◊ ORIGAMI
◊ BONSAI	◊ KARATE	◊ RISING SUN
◊ GEISHA	◊ KOBE	◊ SAKE
◊ HIROSHIMA	◊ KYOTO	◊ SAMURAI
◊ IBARAKI	◊ NAGOYA	◊ SHINTO
◊ JUDO	◊ NIGATA	◊ SUSHI

51   Wake Up

```
D  I  O  R  B  S  R  E  P  P  I  L  S
N  V  R  N  H  R  K  T  G  Q  Q  E  I
Z  P  B  N  E  P  U  C  A  E  T  Y  C
C  M  F  W  C  K  C  E  J  P  A  E  W
M  Z  O  L  D  R  A  M  E  W  R  Z  E
N  H  R  G  A  H  O  W  N  E  F  O  S
S  I  Q  M  F  N  O  I  A  I  B  O  I
H  E  E  S  L  R  N  L  S  L  R  N  R
M  S  D  I  C  G  O  E  Q  S  E  S  N
L  O  T  K  L  R  U  T  L  E  A  W  U
V  C  C  R  O  P  A  G  G  U  K  N  S
C  O  F  F  E  E  X  T  L  M  F  X  T
C  Z  N  C  R  T  M  A  C  Z  A  H  B
E  I  Z  D  U  T  C  T  Z  H  S  O  N
G  N  I  H  S  A  W  H  O  F  T  F  R
```

◊ AWAKEN	◊ FLANNEL	◊ SNOOZE
◊ BREAKFAST	◊ LIE-IN	◊ STRETCH
◊ CEREAL	◊ MUESLI	◊ SUNRISE
◊ COCK-CROW	◊ SCRATCH	◊ TEACUP
◊ COFFEE	◊ SHOWER	◊ WASHING
◊ CROISSANT	◊ SLIPPERS	◊ YAWNING

52   Grasses

```
S A R E T T O Y E L R A B
N Q O A N T L J C T C R R
A M O W E S O R G H U M G
T I M O T H Y A T W E S Z
T L W D T T H C T O H M U
A L J Y G O U B Q S T G X
R E T H K Y O E N U W J O
V T N C C H O F B H X J O
D Q E A U T C T S J C H B
O O B Y C O I H R K S R M
B J P R R Q P W B A C M A
X E C N S L H U T L P O B
L I A T L E R R I U Q S C
O D Z R A P A P Y R U S E
V C A T D S C O E F B P X
```

◊ BAMBOO	◊ CORN	◊ RATTAN
◊ BARLEY	◊ ESPARTO	◊ SORGHUM
◊ BEARD	◊ MILLET	◊ SQUIRREL-TAIL
◊ BENT	◊ MOOR	◊ TIMOTHY
◊ CANE	◊ OATS	◊ TWITCH
◊ COCKSFOOT	◊ PAPYRUS	◊ WHEAT

Wind and Brass Instruments

```
E Z U Y P F A K D P J L T
L M T E N I R A L C B E N
G W G U B F C F N I N A Q
U A Z Z A E N C N R G E C
B H N Z S O S N O R E N O
X S Q R S O X C O L B O O
K A Z O O X V H U D O H D
U H S U O H T V X E T P I
T Q O N N U T J O R X A R
U F B R O Q F S O J N S E
B L O M N P N M O I J U G
A U E T V P B S R P F O D
Y T W K T O I A J A X S I
O E C L N C C P C K O B D
P F K E T O T G E V Y V L
```

◊ BASSOON

◊ BUGLE

◊ CLARINET

◊ CORNET

◊ DIDGERIDOO

◊ FIFE

◊ FLUTE

◊ HORNPIPE

◊ KAZOO

◊ MOUTH ORGAN

◊ OBOE

◊ OCARINA

◊ PICCOLO

◊ POST HORN

◊ SHAWM

◊ SOUSAPHONE

◊ TROMBONE

◊ TUBA

54   Things With Wings

```
B Q Z L T I H Q J Z R B G
W U Y E C J K U T W T L D
R D T R I R J K P X I A E
P K C T O L A T D D R K B
S Z S T E P M N E A V A Q
W A S P T R C R E F K S R
T T I S H V F S X E E H C
K G S L L K M L W G M C F
T N Z D P N Q Q Y O A I T
Y A J E R L U O T O N R Z
C T L E G N A H Z E K T H
D R V M C D D N T L C S S
Y Y O S D R I B E G X O Z
W P S W L B G M A A R I C
D P L T Z E L T E E B I T
```

◊ ANGEL   ◊ CROW   ◊ MOTH

◊ BAT   ◊ EAGLE   ◊ OSTRICH

◊ BEETLE   ◊ EROS   ◊ SAILPLANE

◊ BIRDS   ◊ GLIDER   ◊ STORK

◊ BUTTERFLY   ◊ GNAT   ◊ WASP

◊ CRANE   ◊ MIDGE   ◊ WYVERN

```
X E D Q J Y X E D U A C X
O E X N P O L L E X J S E
X K K E E X Z F B F A O F
X E O N D L A T E X A X I
E Y V L A O X E Q U E E T
P X I N N R T X S J I P N
A E D I O D T P X E B S O
T Q R N H C E H A B E T P
N S W P X X D R E N X E E
A M U E L E E I I X N X X
L Y R S G E T E B N W E L
E U N I S E X W V V D U X
M R E F L E X C O R T E X
P X B E Z X X L F M X I X
E E X L N I N X E Y O N A
```

◊ ANNEX	◊ IBEX	◊ POLLEX
◊ ANTAPEX	◊ INDEX	◊ PONTIFEX
◊ AUSPEX	◊ LATEX	◊ REFLEX
◊ CAUDEX	◊ MUREX	◊ SUSSEX
◊ CONVEX	◊ NARTHEX	◊ TELEX
◊ CORTEX	◊ PERPLEX	◊ UNISEX

Halloween

```
S H M J S R S G I M P S B
K C O V E N H U Z G N A C
S I H B T O S Z E I T S I
A S K A S P E L L S C E G
M M N T N T W B D O A I A
N M L O N T O Q T R N T M
B Y T M I G I E G C D R R
I P T Q E T M N W E L A Z
D P J A S N I I G R E P X
D K Q S C G J D R E S H O
S E M L A K C A A R W C W
G F V C T B C T R R C U V
C P D I U T B A U U T A N
N D X U L X P A L G J F D
S S W S D A O T T B A N X
```

◊ BATS

◊ BLACK CAT

◊ CANDLES

◊ CHANTING

◊ COVEN

◊ DEVIL

◊ GHOSTLY

◊ GOBLINS

◊ IMPS

◊ MAGIC

◊ MASKS

◊ OCCULT

◊ PARTIES

◊ SABBAT

◊ SORCERER

◊ SPELLS

◊ TOADS

◊ TRADITIONS

57   Furnishings

```
R V Q G H W T Q H O D C E
E N Y C N U P E J E U H T
L U U X I I G K S B K E D
S O W P A F X K Y O P S Q
C K S N U S R Q N R L T G
A J O B V Y R E A D R C M
T A L L B O Y C E E J Y D
T L E E T T E S S Z M A S
E O V E N O W S P I E D Y
R U L U D S E I R P V R M
R S O F A R Q R Z Z K C Y
U I X M D B O O K C A S E
G E E S C R I T O I R E P
B N H G M F O L N R O D O
V F G W I M C A L D B O K
```

◊ BOOKCASE   ◊ DESK   ◊ OVEN

◊ CARPET   ◊ DRESSER   ◊ PIANO

◊ CHEST   ◊ ESCRITOIRE   ◊ SCATTER RUG

◊ CLOCK   ◊ FREEZER   ◊ SETTEE

◊ CLOSET   ◊ JALOUSIE   ◊ SOFA

◊ COUCH   ◊ MIRROR   ◊ TALLBOY

58　Lumps and Bumps

```
T V S N N Q X H F Q N K X
E B O T O B Z P M U H R F
G H O I A I U P N O D E R
G O V L K R T U B E R T U
U P L R U W Q E T N O S N
N P R C D S U Z R O E U K
C O D O B U L G E C L L X
X A D I T W A U P U N C R
L P R U I R G Y B C W O E
R R U B L Z U H B N X N C
H C X A U E A S F G W X Z
Q F H T M N Y Q I R V A B
X T F A F Y C C B O L P D
N W S A F U O L C M N V V
Z S Z J D J O N E K B B W
```

◊ BALL

◊ BOLUS

◊ BULGE

◊ BURR

◊ CARBUNCLE

◊ CLOT

◊ CLUSTER

◊ CONCRETION

◊ HUMP

◊ KNUR

◊ MASS

◊ NODE

◊ NODULE

◊ NUGGET

◊ PROTRUSION

◊ SLUB

◊ TUBER

◊ WAD

59   "WHITE" ...

```
S T X I B I B H F T J Q B
T A E H H T Q B R O O M E
I G X Y Z L H H N S J N J
C T R O R B E C T O I E Q
K A X L R A K A R W C C W
R T P U K U L C N I S V H
A E O R Z C H L R L B W R
G E A A V I Z T I F A C D
U H F F D Z M G E T T U F
S S U W A S H A E J I S C
X A J L K T T R G Q L R L
E S I O N H F F U O D I F
D A U I E W S A R F E Q S
G V N R K Q D P O S G B Q
M G Z R G Q W X L K I V W
```

◊ AS A SHEET   ◊ HEAT   ◊ SHARK

◊ BIRCH   ◊ LIES   ◊ STICK

◊ BROOM   ◊ LIGHTNING   ◊ SUGAR

◊ FEATHER   ◊ NOISE   ◊ WASH

◊ FOX   ◊ ORCHID   ◊ WATER

◊ FRITILLARY   ◊ RICE   ◊ WINE

Pairs of Things

```
V M M C H S K S Y T E E F
S S H O E S N N W A D Z S
R Q G Y K Y A A X Q U T G
A S E B A N H E K D O W G
E C R D O O Q J O O E I O
H C A E C O T I B G L N F
S U Y S V S K C O S U S A
R F F M T O F E P G Q R Q
E F C S B A L O N I B M C
P L I U E A N L G D W A Q
I I D V J T L E S W S R D
L N M I C J A S T G W A W
A K N O C F R K U S D C R
C S T X T E N E S J A A S
E K Y J T O N G S Q L S P
```

◊ BOOKENDS   ◊ DICE   ◊ SHEARS

◊ BOOTS   ◊ EYES   ◊ SHOES

◊ CALIPERS   ◊ FEET   ◊ SKATES

◊ CASTANETS   ◊ JEANS   ◊ SOCKS

◊ CUFFLINKS   ◊ LOVERS   ◊ TONGS

◊ CYMBALS   ◊ MARACAS   ◊ TWINS

Human Characters

```
Q T T S I M I T P O D J P
E D N M L T H P O P G N D
A H B A B B L E R P T R M
S B O H D U L S R S E L I
A A D T R E R N I E O R S
D R D K H B P T B A T P E
I B B A G E A R F C I I R
S A A H Y M A E E T U P C
T R L O G D R D H D W I G
E I L O Q K R C F P A Y A
V A D L C S T E O M J E Q
A N K I L J I J A N L L L
N P E G L N R K L M M G S
K H L A D N A V N L E A Z
F Y O N P A G O G C O R N
```

◊ BABBLER   ◊ HOOLIGAN   ◊ ODDBALL

◊ BARBARIAN   ◊ HOTHEAD   ◊ OPTIMIST

◊ CONMAN   ◊ KNAVE   ◊ PEDANT

◊ DAYDREAMER   ◊ LEADER   ◊ SADIST

◊ DOGMATIST   ◊ LOAFER   ◊ TOPER

◊ HERETIC   ◊ MISER   ◊ VANDAL

62   "HOUSE" …

```
G  L  G  B  I  M  E  E  O  N  G  H  H
D  A  G  G  I  A  Q  K  S  X  Q  P  E
W  K  N  H  N  Q  A  A  A  E  C  O  S
F  O  U  M  N  I  C  N  K  L  T  L  U
P  Q  R  L  E  E  K  S  A  K  K  A  O
C  L  E  K  Q  V  F  A  J  D  W  F  M
G  R  N  M  D  G  R  N  E  T  F  L  Y
D  U  A  E  K  R  P  F  K  R  M  K  U
F  I  E  F  R  E  D  L  I  U  B  H  M
D  H  L  S  T  T  C  L  J  O  D  X  W
H  C  C  Z  T  N  Z  R  U  Y  Z  X  E
P  L  A  N  T  I  J  N  Z  B  M  F  Y
A  K  P  L  U  A  D  K  Q  U  I  I  K
Q  D  A  F  L  P  H  K  L  W  J  F  H
L  Q  D  W  O  R  R  A  P  S  E  T  K
```

◊ BOUND	◊ FLY	◊ PAINTER
◊ BREAKING	◊ GUEST	◊ PLANT
◊ BUILDER	◊ LEEKS	◊ SNAKE
◊ CALL	◊ MAID	◊ SPARROW
◊ CLEANER	◊ MATES	◊ WIFE
◊ CRAFT	◊ MOUSE	◊ WORK

63   Hotel

```
P R T A W B U U V T X Q Q
U Q E A I E B A N C Y M R
Y I Z G X V I S O H S X Y
B V H S I I L N I A H C R
B F R M R S L S T N V A Q
O W H O F A T R A D F R X
L Y U O V H T E V E K V M
N C X R G O Q S R L E E Y
J X X D N L L X E I Y R S
I E E N I X S S E S Y A
U P N C B D T E E R R O T
M I N R H A D N R C H H A
L U A G I Y L T X U H W T
M R H R B D T G E T A E X
Y K S A R O D I R R O C F
```

◊ ANNEX   ◊ CORRIDOR   ◊ REGISTER

◊ BILL   ◊ HOLIDAY   ◊ RESERVATION

◊ CARVERY   ◊ KEYS   ◊ ROOMS

◊ CHAIN   ◊ LIBRARY   ◊ STAIRS

◊ CHANDELIER   ◊ LINEN   ◊ TAXI

◊ CHEF   ◊ LOBBY   ◊ THREE-STAR

```
C M C A N O P H I L I S T
C A N D Y T U F T T E F N
T A N C A N T I N I G S A
I I N T M L A B I N N A C
N C N I A A N A C T A V E
P T A C S B I T F I C N C
L S T N T T I C I N K A A
A E I J Y U E L M N U C N
T I N T T O R R E A D L N
E N C A I N N E N B G A E
K I L N N N H N I U M N L
U T T A F C C X T L N A L
C A N C O S A H K A A C O
T I N L I Z Z I E R C A N
C G N I L K N I T L K C I
```

◊ CANAL

◊ CANDYTUFT

◊ CANISTER

◊ CANNELLONI

◊ CANNIBAL

◊ CANOPHILIST

◊ CANTABILE

◊ CANVAS

◊ CANYON

◊ TIN LIZZIE

◊ TIN PLATE

◊ TINCHEL

◊ TINCTURE

◊ TINDAL

◊ TINFOIL

◊ TINIEST

◊ TINKLING

◊ TINTINNA-
BULAR

Orchestral Instruments

```
Z A B X R C V I O L I N O
N J O L L E C G R U S L N
E U P H O N I U M L W E A
N Q W H B H O H C A L D I
I G C N O M N A B G S C P
R U C B E H B M N I C I X
U I Y T L U I A A U H J R
O T M R T R I T G B U S L
B A B U A R S N A I I T D
M R A M T E S S A R Q G D
A L L P L N S B V P Q D F
T Z S E Z D T Q L Q M M L
W I C T R M U Y B M X I U
T U B U L A R B E L L S T
O Q M M V E Q P F F L R E
```

◊ BASS DRUM

◊ CELESTA

◊ CELLO

◊ CYMBALS

◊ EUPHONIUM

◊ FLUTE

◊ GUITAR

◊ LYRE

◊ MARIMBA

◊ OBOE

◊ PIANO

◊ TAMBOURINE

◊ TIMPANI

◊ TRIANGLE

◊ TRUMPET

◊ TUBA

◊ TUBULAR
  BELLS

◊ VIOLIN

66   Arrest

```
T O K E K P M S X P J G Q
L H J B O T W R I I L T O
A N A T O T X V F C A D Z
H B S W L P C Y N K K I G
N C Z S G U J U E U G U X
I Z S W D R T K R P I P J
A L U M N R C C A T C H Z
R C E U E E X D T N S N Q
T T M S H T U V E A Z B K
S J U C E N E V B R G K O
E W U V R I D D A R M C O
R G S J P H Q J T A N O B
Y A T S P N W O D W O L S
S B G V A N A A X D P B A
H D U B E H T N I P I N G
```

◊ APPREHEND

◊ BLOCK

◊ BOOK

◊ CATCH

◊ CHECK

◊ FIX

◊ HALT

◊ INTERRUPT

◊ NIP IN THE BUD

◊ OBSTRUCT

◊ PICK UP

◊ RESTRAIN

◊ SLOW DOWN

◊ STAY

◊ STEM

◊ STOP

◊ TAKE

◊ WARRANT

67 Salad

```
T O R R A C W C Q S T R M
R F T Z C A F N A S O A S
L E Q A L N O E P B E S Q
G Q P D M T P O U R P E K
J M O P U O T E C E W A U
H R B O E A T D S H A C G
F S R F T P A X M I T Y H
S C I O C L D P O U E R T
U S V D A H M E O F R E Q
D V E S A O E R R C C L K
C D E R A R E E H S R E C
F Q Q F C Y X I S X E C Z
T H G K G H V R U E S R V
G O L I V E S J M O S Y D
C R F H S D I U C T P A K
```

◊ CAESAR

◊ CARROT

◊ CELERY

◊ CHEESE

◊ CHIVES

◊ CRESS

◊ CROUTON

◊ HERBS

◊ MUSHROOMS

◊ OLIVES

◊ PEAS

◊ POTATO

◊ RADISH

◊ RED PEPPER

◊ SALAD
  CREAM

◊ TOMATO

◊ WALDORF

◊ WATERCRESS

```
H A G T Y H A K O H A K E
M H A T P Q H C J T A H N
H Y S H R G H O H D V E I
L A A L A H A D A L L T S
H E M P H A T D X E R A I
A A Z F D N B A H I G T U
B J U A I O O H A F N I C
E R S L H S X L R Y I L E
R P E Z M E T N S A K I T
D A H T H A V E H H C B U
A H N A L H M A D G A A A
S N E D I A M D N A H H H
H F I H A P H A Z A R D H
E H S H E B H A K I A H M
R A Y R W P T F O L Y A H
```

◊ HABER-
  DASHER

◊ HABILITATE

◊ HACKING

◊ HADDOCK

◊ HALTER

◊ HAM-FISTED

◊ HAMPER

◊ HANDMAIDEN

◊ HAPHAZARD

◊ HARPY

◊ HARSH

◊ HASTY

◊ HATBOX

◊ HAULM

◊ HAUTE
  CUISINE

◊ HAYFIELD

◊ HAYLOFT

◊ HAZEL

69   Summer

```
T Y A D I L O H V T M T W
Z N E F R C Z A S B J M X
W T E E B H E A T A Q P J
S S I T O A G C Z N L G T
R U P E A Q R S R Q R A B
C G N O C H J B R E C E D
C U O T H W N Q E O A H S
B A Q S A V C O J C S M E
H T U J M N V H H J U E A
T P C X S O L W R J B E S
M I I P D W T O Q W N A I
R V S C R P O S T C A R D
A A G O N T P I U I G R E
W F J U S I X S T C O R R
Y L U J W X C L E B S N U
```

◊ AUGUST

◊ BARBECUE

◊ BEACH

◊ CUSTOMS

◊ FETE

◊ HEAT

◊ HOLIDAY

◊ ICE CREAM

◊ JULY

◊ PICNIC

◊ POSTCARD

◊ ROSES

◊ SALAD

◊ SEASIDE

◊ SUNTAN
LOTION

◊ TENT

◊ WARMTH

◊ WASPS

70   Scandinavia

```
U G V E C W Y A W R O N V
E A I Q W F Y A C E D D O
S T O R H E L S I N K I B
N Q R J U A Z S I A U D N
E A W O S K D V M V G E D
D W N P M R S L X S T R C
O Z P S O S O I A O A L T
M U O J U H O Q F B Q A R
M A F G K J J O L D G P X
A E S C I T L A B R R L F
R W O Z V S V Y O Z M A J
O T A C R S K B Y F B N H
S S G D A J I U G B X D J
H I L T N V I K I N G S Y
U Y N O R T H C A P E O I
```

◊ BALTIC SEA   ◊ LOFOTEN   ◊ STOCKHOLM

◊ FJORDS   ◊ NARVIK   ◊ SVALBARD

◊ HARDFISKUR   ◊ NORTH CAPE   ◊ TROMSO

◊ HELSINKI   ◊ NORWAY   ◊ UPPSALA

◊ LAPLAND   ◊ ODENSE   ◊ VIBORG

◊ LJUSNAN   ◊ OSLO   ◊ VIKINGS

Things That Flow

```
D A V E R A V T B T I E S
F L L S P E D D Y F Q T H
C O R O Q O V S X E N V W
J O U B R W B I R E R M F
M P H Q L T W B R I G K N
A L C P A U E R P H A I R
E R E B V R U P J V F N E
R I C W A C L U P F Z H T
C H B I R E I F A E V F A
A W Z I F C M R G D C M W
S J A W E F A R Z C K A K
C K C T A P A Y E L G E U
A V P X U V N R I E E T S
D H M T Y R E M T K B S X
E G Y J K Q T S A C U Z Z
```

◊ AIR CURRENT   ◊ JUICE   ◊ RIVER

◊ BEER   ◊ LAVA   ◊ STEAM

◊ CASCADE   ◊ MILK   ◊ TRAFFIC

◊ CREAM   ◊ PARAFFIN   ◊ WATER

◊ EDDY   ◊ PETROL   ◊ WAVES

◊ GRAVY   ◊ RIPPLE   ◊ WHIRLPOOL

```
M U G E H T Y F U G L A D
T T W L N W A A M U L I K
I K J J Y B R U U A G R K
H N A T E N R N D Z V E S
M I M R D M I Z S T A B R
O O G T A L U M T H I I I
S E Z N A S O Z E K A S B
C D S H H L E R S G E V I
O K K T E B M A L E S Y S
W A X N B I T O A G E B O
S A S U T A V F E L T O V
X K V A Y P S C P O I R O
I T G Z C D V I K H H G N
U E V O T S O R L H W E C
U P T H E D U M A S T E R
```

◊ FABERGE

◊ HERMITAGE

◊ KARA SEA

◊ MOSCOW

◊ MURMANSK

◊ NOVOSIBIRSK

◊ ROSTOV

◊ SAKHALIN

◊ SIBERIA

◊ SMOLENSK

◊ ST BASIL'S

◊ SUZDAL

◊ THE DUMA

◊ THE GUM

◊ VOLGA

◊ VYBORG

◊ WHITE SEA

◊ YAUZA

```
S G N I T E P M U R T T T
Q T E M G D K D Y Y W W I
U W Q N U L C L A T T E R
E I A H Y N A J V J K E G
L B T E K H M M A W E T K
C E K P H C S F D I Q E Q
H B B A N T U M U L T N H
D L Y O E A M A H W X O D
H C L W P R S U O K Y E R
H Y S M E C C L L N U R U
V Q O K A S U C C S E R M
U T N O L W H H L M K E M
S O E N I W S K R A B C I
H Y X Z N M O S R L N G N
Y U B R G V F Y L A I G G
```

◊ BANG   ◊ HONK   ◊ THUD

◊ BARK   ◊ PEALING   ◊ TRUMPETING

◊ CLANG   ◊ SCRATCH   ◊ TUMULT

◊ CLATTER ◊ SMACK   ◊ TWEET

◊ CREAK   ◊ SQUELCH   ◊ WHAM

◊ DRUMMING ◊ STOMP   ◊ YOWL

74   Countries of the World

```
F G I R A Q V U I R B V D
P D B B C Y E Y E L I N N
B U R E P S N T V Q A X A
N M N L F O E R N K N M L
S F A E R A Z G G A G F A
K P R W P L U T M N K Z E
S N A R M A E O R I B R Z
N Y R I V L L C D B O Y W
J O A Q N S A F P P E L E
G R B R U N E I A R T E N
F U T A T E A G R I Y A V
O V A P G D N U A B N R R
C I C M Y I J W U M S S L
A I R Y S K U G D S I I X
B L K X Y K D C M Y A D W
```

◊ BRUNEI   ◊ LAOS   ◊ PERU

◊ GABON   ◊ MALI   ◊ SINGAPORE

◊ GUAM   ◊ NEPAL   ◊ SPAIN

◊ IRAQ   ◊ NEW   ◊ SYRIA
                    ZEALAND
◊ ISRAEL   ◊ USA
                  ◊ NORWAY
◊ KUWAIT   ◊ VENEZUELA
                  ◊ OMAN

75   Wet

```
C M H T K N Y J C G Y D Z
R N I I R G U J N R K P K
M C C R G L D I Q D C N O
U M D O Y J M J R Z A C K
D L S P R A Y E D D T D S
D V N E E S D Y B O E E T
Y X S T N A O Y P D B G I
D G S A F Q U D N P F G C
W A S H E D S Q D I O O K
M K H Q R O E X R E A L Y
D A M P A K D C I D N R S
D H Z K A T E W G Q S E O
N E E N G U L F E D E T J
V D W X S B W V P N R A N
Q A U Y U L P T A A S W H
```

◊ DAMP

◊ DANK

◊ DEWY

◊ DOUSED

◊ ENGULFED

◊ MIRY

◊ MUDDY

◊ RAINY

◊ SLOPPY

◊ SOAKED

◊ SODDEN

◊ SOGGY

◊ SPRAYED

◊ STEAMING

◊ STICKY

◊ TACKY

◊ WASHED

◊ WATER-
  LOGGED

"TIGHT" Spot

```
W W R N E R D C S S Z M A
D Q C A S S Q U E E Z E T
V A D I I M N Y U Y I Q Q
T G W U D R I Q D B C H V
A I I O E A G N I D L O H
L S B P D J E O Q S Y B T
O I A Y Y P O H G U H W N
D E P T Y Y C M E O S M O
E T X P I T T B N H U F I
T R U K E C I I E R V I T
S U Z R I D K R D N D I C
I H T M N S M A U E D A N
F S I M Y Q S L J C S S U
K N A P J A U C Z K E E J
N H Y P A F F G Q Y A S F
```

◊ AIR

◊ AS A DRUM

◊ AS A TICK

◊ CASK

◊ ENDS

◊ FISTED

◊ HEAD

◊ HOLDING

◊ HUG

◊ JUNCTION

◊ LIPPED

◊ SECURITY

◊ SHIP

◊ SKIN

◊ SQUEEZE

◊ STRETCH

◊ TURN

◊ WAD

```
K P G N I L L O R S P J T
M C H U E D I S P T P S L
Y L A L T S D J U E Y T J
L H D J T C C X X R T E A
O X M E X F F A P N L P C
O O Y R T O F S L I D O O
T C B C O A D O T E L R B
S M H R S F L S L E W O S
P T O K O L T U K D A T T
E L G N U J O A C O I J Y
T M Q E K O O H L I U N I
S N P N V E V R L P T Y G
E T R I E R Y O M T A R U
E S M E J E F O W N Q Q A
V E B R H T J N P W E X Y
```

◊ ARTICULATED   ◊ LOFT   ◊ ROPE

◊ ETRIER   ◊ MONKEY   ◊ SCALE

◊ FOLDING   ◊ PILOT   ◊ SIDE

◊ HOOK   ◊ PLATFORM   ◊ STEP STOOL

◊ JACK   ◊ ROLLING   ◊ STERN

◊ JACOB'S   ◊ ROOF   ◊ STILE

78　Brisk

```
V X M Y T N E I C I F F E
S R E N E R G E T I C Q Q
J Q O E U K K P H E X Z T
P S K Y S U B V Y P S K R
B R U S Q U E Y W O M C E
B R A C I N G C E R A I L
A M O H Z E T T N L W U A
J C W B S G I N V D I Q U
T S T I M U L A T I N G E
Y D Q I S V R V T P T I A
C J D A V Y N W Y A F A H
R P Q E X E T M T R O Z L
I O W L F J U S T D G H I
S Y X U R D S M A R T W I
P O I Y L E V I L H L B Y
```

◊ ACTIVE

◊ AGILE

◊ ALERT

◊ BRACING

◊ BRUSQUE

◊ BUSY

◊ CRISP

◊ EFFICIENT

◊ ENERGETIC

◊ HASTY

◊ KEEN

◊ LIVELY

◊ QUICK

◊ RAPID

◊ SHARP

◊ SMART

◊ STIMULATING

◊ VITAL

```
S T S E P K L E A G U E T
K C U P E Y K E U M E U S
O A X U G D O G G F E K I
L L F S N W I C B Y R O S
W Q G S I R I S E A H G S
H G T J C U X F F D T O A
I R O N I M Y R A F N A A
S D M G Z T A S E V O L G
T V I N J O N J S R E I S
L E M I T R E V O F V E T
E S S T H P L S T R I H O
L K K H F K Q W E N F X H
K J H G Q T I U X T K O S
U G N I N N A M D A E H F
C T D F G O V V J G Q A Y
```

◊ ASSIST

◊ DECOY

◊ FIGHTING

◊ FIVE-ON-
    THREE

◊ GLOVES

◊ GOALIE

◊ HEAD-
    MANNING

◊ ICING

◊ LEAGUE

◊ LEFT WING

◊ MAJOR

◊ MINOR

◊ OFFSIDE

◊ OVERTIME

◊ PESTS

◊ PUCK

◊ SHOTS

◊ WHISTLE

```
W P T A Y M N K H O C A M
N W A R S A W K I I F A R
T D W A S O U H M R R N J
C R E T S R O A I O K L X
V Y P L S Y R C Z M P U A
M T O K S K A I T A M K K
N O R T H A M P T O N D S
F W M A Y P O L H P E N A
N D M L M S A D A T W U L
T E B I T N P S E O H M A
J U H D T W A A T I A T M
F W V A U Q C R K X V R W
W I R C Z R O Q C Y E O N
Q R U H R P K A L C N D K
Q Q A A O E I H C J A E T
```

◊ ACCRA

◊ AFRICA

◊ ALASKA

◊ ATLANTA

◊ DORTMUND

◊ KIRKUK

◊ KURSK

◊ MARKHAM

◊ MIZORAM

◊ NEWHAVEN

◊ NORTHAMP-
   TON

◊ OHIO

◊ OPORTO

◊ OSLO

◊ OVIEDO

◊ RUHR

◊ TIBET

◊ WARSAW

81 Containers

```
O T G R G Z N D D H U Z X
E S R X U D E M I J O H N
Y E N E J M R X W O V C P
C H G Z C O L L D F Q I X
M C N F B E W J G T L O Q
R A R V A O P J X T T T E
V E Z M B P W T E L O U L
A T G E K R E K A E B A T
U R K R U V C L Z C D Z T
L L U H G U O R T L L Y E
T Z O P B L O R E F D E K
P E R C O L A T O R R B F
Z Y K C K Y Q S O Z S O B
C J R P Q E H T S M H X F
P A K C A S R E V A H R J
```

◊ BEAKER

◊ BOWL

◊ BOX

◊ BUCKET

◊ DEMIJOHN

◊ GLASS

◊ HAVERSACK

◊ JUG

◊ KEG

◊ KETTLE

◊ LADLE

◊ LOCKER

◊ PERCOLATOR

◊ RECEPTACLE

◊ TEA CHEST

◊ TRAY

◊ TROUGH

◊ VAULT

Countries of the EU

```
M B H T E O C H B N M Y W
V F R A N C E C Y U N N B
Q S M I K R R T I S Z A D
T R A U X O C G K A F M R
O P G C A A L Y I Q V R M
S W Z T O E I N P U F E K
W R I G B Q O N U R H G R
Y A Q G W T X E A M U D A
L X A U S T R I A M V S M
A I N E V O L S E M O M N
T N P C Q E W V A K C R E
I N E T H E R L A N D S D
N R W L D F T L A T V I A
O U F E I A G R E E C E V
R E N B U L G A R I A D N
```

◊ AUSTRIA

◊ BELGIUM

◊ BULGARIA

◊ CROATIA

◊ CYPRUS

◊ DENMARK

◊ ESTONIA

◊ FRANCE

◊ GERMANY

◊ GREECE

◊ ITALY

◊ LATVIA

◊ MALTA

◊ NETHER-
LANDS

◊ ROMANIA

◊ SLOVENIA

◊ SPAIN

◊ SWEDEN

83   Bright

```
H W X B L L O Z J N Q C B
L S F E W F H G I A T G E
U S U P E L L U C I D G A
R U F O L T Z G O F N W M
I N C A N D E S C E N T I
D N X B G I H C L E A R N
B Y H P Q N M V L H J O G
J N P Q H I I U V I V I D
S H I N I N G L L J N F L
D H U Y T K H T K T Z W K
Q N O S Y H L A E R T U R
G L O W I N G N R I A N A
F I E R Y Y S I Q S S P T
I B D P Z E C D L O H R S
H S I R A G W H M X J N S
```

◊ BEAMING

◊ CLEAR

◊ FIERY

◊ GARISH

◊ GLOWING

◊ HARSH

◊ INCAN-
   DESCENT

◊ INTENSE

◊ LIGHT

◊ LUMINOUS

◊ LURID

◊ PELLUCID

◊ SHINING

◊ SHOWY

◊ SPARKLING

◊ STARK

◊ SUNNY

◊ VIVID

```
N O A G F W H Z O R G P E
D U B E H T N I P I N T T
L A K C O L B U N B N A H
D T D D U T E C L S T I F
N U T R R T S P G L S G M
A O I O W P O K E D I C J
M R B Z M T L U Q O S F X
R A I L W H C O T A E S Y
E E H D I C X X C W D U D
T W O Y S T V D R A B P Z
N N R H K Y E T Q Y R P V
U T P I R P T R H W T R O
O V L M F S O A A I A E I
C L A X H B L G U T A S D
S I A L V T B Q P H E S S
```

◊ ABORT

◊ BLOCK

◊ CLOSE

◊ COUNTER-
MAND

◊ CUT OUT

◊ DESIST

◊ DO AWAY
WITH

◊ HALT

◊ KILL

◊ NIP IN THE
BUD

◊ NULLIFY

◊ OBLITERATE

◊ PROHIBIT

◊ QUIT

◊ SUPPRESS

◊ VETO

◊ VOID

◊ WEAR OUT

Ice Cream

```
N  I  S  I  A  R  D  N  A  M  U  R  F
V  A  N  I  L  L  A  D  H  S  E  O  U
X  P  K  G  N  A  X  A  B  C  R  G  O
C  J  R  F  R  R  Z  A  Q  E  A  B  H
A  I  B  A  P  E  N  R  S  Z  R  E  N
R  V  Z  Z  L  O  E  T  Y  O  E  A  P
A  L  G  N  F  I  F  N  W  I  P  C  I
M  R  U  F  D  R  N  N  T  I  H  N  A
E  T  E  Q  U  X  B  E  Z  E  O  N  P
L  E  I  I  M  R  H  R  R  M  A  G  R
H  E  T  Q  E  N  A  R  U  N  Y  J  I
C  S  M  A  V  M  Y  P  A  M  A  Z  C
J  I  D  O  C  G  S  B  N  H  U  I  O
B  L  T  U  N  A  E  P  W  V  U  X  T
K  T  N  A  R  R  U  C  K  C  A  L  B
```

◊ APRICOT	◊ CHERRY	◊ PEACH
◊ BANANA	◊ FOREST FRUITS	◊ PEANUT
◊ BANOFFEE		◊ PRALINE
◊ BLACK-CURRANT	◊ GREEN TEA	◊ RUM AND RAISIN
◊ BROWN BREAD	◊ HAZELNUT	◊ SPUMONI
	◊ LEMON	
◊ CARAMEL	◊ MARZIPAN	◊ VANILLA

86 Cheeses

```
R H F V I P J X O J A M S
Q J V O G R A X O B H X P
S K C A J Y E R E T N O M
Z P R O V E L R M G U S D
Q I Q E T Z T K L E L S M
A O M M A A R J E P S U U
Y K K A M F B K T P Z A D
U L E Y D E N A T K A I N
H A L Y A G G Z S Q D O H
S S I W S R N R F I K R E
Y E U X B V G I I E N B D
F G K V R A F Q N D T G A
L A P P I I C S I Y D A M
R E T S E C U O L G T E S
F E S T T P X B J Q J M R
```

◊ ABERTAM

◊ AIRAG

◊ BASING

◊ BRIE

◊ EDAM

◊ EMLETT

◊ FETA

◊ GLOUCESTER

◊ LAPPI

◊ LEYDEN

◊ MONTEREY JACK

◊ PARMESAN

◊ PROVEL

◊ RIDDER

◊ SWISS

◊ TEIFI

◊ TYNING

◊ YARG

```
A H I E Z W E U E L O K F
L I S A P A R N A X C A U
C S T E K A F K E E V X L
R T T S T C S Z N R E U A
H I A H E H V O V T I E N
I A S S M H H W I E T E M
A I T I I P B R A D S O F
N G K H E Z T Y P U R T Y
N J E S O I E A U R O R A
O X R K H R K C I G S H T
N E O P F F D G H A U V Z
P E M F R K A N A I D E H
R A C I H N Z B E T J N B
I P G E N E H T A H Z U F
X G I V I C T O R I A S J
```

◊ AMPHITRITE   ◊ FRIGG   ◊ MORRIGAN

◊ ATHENE   ◊ HATHOR   ◊ PERSEPHONE

◊ AURORA   ◊ HESTIA   ◊ RHIANNON

◊ DIANA   ◊ IRENE   ◊ VENUS

◊ DURGA   ◊ ISHTAR   ◊ VESTA

◊ FREYA   ◊ LAKSHMI   ◊ VICTORIA

```
W O R W N Q R U T L K T T
U P B O B K D Q T N A N E
Y M I I O D S P O C E U T
U E C R A K I I T N I N R
E T A N R M T I O C A Z X
D C A Y D A C P U S T L W
E G W V N S P A S U T S M
C E W I O O D A W P A E E
O D M Q N K P P V O C T L
Y O K R R N Y E G H K I T
D B H A E N G B N S S B S
V L Z N R K T I O I B M A
F A S B I P Y X S B N A C
R C D N P W O I N E R G S
U K G Z U M G V M N R E X
```

◊ ATTACK

◊ BISHOP

◊ BLACK

◊ BOARD

◊ BYKOVA

◊ CASTLE

◊ DECOY

◊ DOMINATION

◊ EN PASSANT

◊ GAMBIT

◊ KARPOV

◊ KING

◊ OPENING

◊ OPPONENT

◊ RESIGN

◊ ROOK

◊ TACTICS

◊ TEMPO

"TOP" ...

```
H C T O N T Q Z H Z P W E
E A O F T H E L I N E D C
C L S J N U D J X O A M P
U T O Q A Q H O G R T L S
Y S I H S Y E Y G F L P E
T H F S F N Q K Y I H X S
Y E E S O Q R U B U E A O
T L R T Q I R E A C I N F
I F S C C K H E U L K B U
R G D F E T G T F H I B P
O A U E A S I R E D D T X
I T S I L V I A A S J N Y
R O N I E E V H G L M D L
P M H N D Y C M A J Z R D
J N X G O E I V E T C L X
```

◊ CAT   ◊ HOLE   ◊ SAIL

◊ DOG   ◊ LESS   ◊ SECRET

◊ EXECUTIVE   ◊ NOTCH   ◊ SHELF

◊ GRADE   ◊ OF THE LINE   ◊ SIDE

◊ HAT   ◊ PRIORITY   ◊ STONE

◊ HEAVY   ◊ QUALITY   ◊ THE BILL

```
N E A A L G Y F Q Y W L P
I Y M S A L E S R V E P I
G Z G R I T S A T L Z K G
N G I N F G R P C P K O G
I R N Q I B N Y A F L N Y
Y G R I I K C I S W I Q B
A P N L N I O R T Z S D A
T L O I B R E O I T I J N
S C L A W G A S C S I G K
V O G O D E N D C E N N M
Z U F O T W S O L I M A K
N P L F O M U N D Z R O S
S O Y D E N E N A K X S H
M N R F T R E N E J N C Q
E S W S X M S T T O Z B Q
```

◊ ALLOTMENT

◊ BICYCLE

◊ COUPONS

◊ DARNING

◊ DISCOUNTS

◊ DOWNSIZING

◊ HOME COOKING

◊ KNITTING

◊ LIBRARY

◊ LODGERS

◊ MARKET

◊ MENDING

◊ OFFERS

◊ PIGGY BANK

◊ SALES

◊ SEWING

◊ STAYING IN

◊ SWAPS

```
P  I  A  N  S  A  L  U  B  E  N  S
P  E  A  L  J  A  H  S  N  Y  E  U  W
Y  Y  T  R  E  S  E  D  Y  D  N  A  S
E  G  R  Y  Q  D  A  Z  R  D  R  F  R
L  L  A  A  I  I  R  R  L  Y  I  J  E
L  X  C  V  M  J  T  I  E  D  F  O  D
A  L  I  N  H  I  E  O  F  K  M  B  S
V  D  U  A  U  Y  D  B  S  R  L  G  P
T  M  X  M  P  J  Y  P  U  J  U  A  O
F  A  L  L  S  S  E  S  L  J  S  I  T
I  E  G  Z  A  N  C  O  X  A  X  W  U
R  T  C  L  A  U  W  O  U  N  I  U  E
Z  K  O  D  E  V  N  E  T  J  A  N  A
J  K  A  V  T  N  G  T  O  T  H  X  S
L  I  T  K  L  H  T  U  O  M  R  A  Y
```

◊ AUNT

◊ BEAR

◊ COAT

◊ DANE

◊ DIVIDE

◊ FALLS

◊ GLEN

◊ HEARTED

◊ NEBULA

◊ PLAINS

◊ PYRAMID

◊ RED SPOT

◊ RIFT VALLEY

◊ SANDY DESERT

◊ SCOTT

◊ TALKER

◊ UNCLE

◊ YARMOUTH

```
M P D M H N M L O C L A M
M E H Y A M R O M C J M M
S N M M A J I H O Y N H L
I M W X O M I L S U M M N
L E I G D R M H D F E B M
A M Z M S M T D M C M A A
I O V L U M K S H O D Q I
R R A M Y T S A L A D H R
E A M E T O N Y M E Q E O
T N M A Y I B E M E A M M
A D A J S D H U M D N M E
M U Y M E Y S Q Q O C M M
Y M A N N E R I S M M H A
M E U M U N G A M M H I B
N M I M M U I D E M G R S
```

◊ MADAM	◊ MAXIM	◊ METONYM
◊ MAELSTROM	◊ MAYHEM	◊ MODEM
◊ MAGNUM	◊ MECHANISM	◊ MOLYBDENUM
◊ MALCOLM	◊ MEDIUM	◊ MOMENTUM
◊ MANNERISM	◊ MEMORAN-DUM	◊ MUSEUM
◊ MATERIALISM		◊ MUSLIM
	◊ MEMORIAM	

93 Varieties of Tomato

```
S A R U K A S E S G E E T
X F N T R P L T O I D P C
N H Q O Q I Y V O N N A P
M E R M M I T R Z C L N X
L U E M A N R Y W A M K H
A M O G Y N R Z T S D A L
L N R U N R O S O Z T E D
Y V R F E A I F Q A J T L
P Y E B P R R A L C P S I
F I D E C F N O D D Q F Z
H E R L Y S L R A E G E Z
R O O A N N T A I N U E A
P Y B U N B P B M N A B N
C E I O E T F J T E J M O
G H N I J J O R A M A B A
```

◊ AMANA ORANGE

◊ APERO

◊ AURORA

◊ BEEFSTEAK

◊ CRISTAL

◊ FLAME

◊ INCAS

◊ JENNY

◊ LATAH

◊ LIMMONY

◊ LIZZANO

◊ MYRIADE

◊ ORAMA

◊ PANNOVY

◊ PIRANTO

◊ RED BERRY

◊ RED ROBIN

◊ SAKURA

```
R E M I E H N E P P O G Y
C N T R E P A R D J M V S
Y D T T D V E A L I E E S
N A A A X E V T U A S S F
X E W F S E A O S J K O W
L A S S R L V S L H B X N
A M A N S E I T K R P C E
C K W E A D N H F Q O Q S
S B T I R N R E V R A C D
A O U S O E I N I C O W N
P H P N C M A E O S D P U
P R Z L G O E S H B I S M
X K C N A L P C Y W E S A
H L R S S T A P N C J L T
B E H K W M O S O Q J T H
```

◊ AMUNDSEN   ◊ ISIS   ◊ ORLOV

◊ BOHR   ◊ MACH   ◊ PASCAL

◊ CARVER   ◊ MENDELEEV   ◊ PLANCK

◊ DRAPER   ◊ NANSEN   ◊ PLATO

◊ EDISON   ◊ NOBEL   ◊ TESLA

◊ ERATOS-   ◊ OPPEN-   ◊ WATT
  THENES   HEIMER

95　Stitches

```
N D T E Z O U T U Q K E S
P R H J M C V T S C L X C
G P E J Q B A C O B B V Z
N I T F J C R L B U D T X
I H A S K O R O B Z C H S
H W I I L E B U I L X N B
C H N L V L N I X D I N D
U G C O W Z U L S Q E N Z
O A W T J C A S H B N R D
C Z Z T E D O K C G W G Y
H A S M D R S Y Y A M N O
A W T E C Y T P U Q B O V
I L R C P S F S J E Q L S
N W J O H H R A S L I P E
S Z Q T Q E X C N I J W S
```

◊ BLIND

◊ BOBBLE

◊ CABLE

◊ CATCH

◊ CHAIN

◊ COUCHING

◊ CROSS

◊ EMBROIDERY

◊ FAN

◊ FERN

◊ LADDER

◊ LONG

◊ OVERLOCK

◊ SCROLL

◊ SLIP

◊ STRETCH

◊ TACKING

◊ WHIP

"HALF" ...

```
G J Q A D N U O P E U N D
S C Q F B N U T O N E G D
Y B C O C K E D Q Q K H R
R V A O J Q N R B Z E O A
E M I T J V O Y O A P U O
F K O Y H T B Q R K M R B
D E E P S B B T O C M L E
S M C A L J E P L A S Y Q
N T P N E D N P C B J J Y
O W W K O O Y V E P V D P
I F A I L I B Q O E R C F
T W H L T U G I R A L W T
A A A Q Z T U P H G O S E
R G J U R P E L W H A H A
R S W E T T E D T M A M K
```

◊ ASLEEP	◊ GALLON	◊ POUND
◊ AWAKE	◊ HARDY	◊ RATIONS
◊ BACK	◊ HEARTED	◊ SPEED
◊ BATH	◊ HOURLY	◊ TIME
◊ BOARD	◊ MAST	◊ TONE
◊ COCKED	◊ PAST	◊ WITTED

```
Z R O B W S W P V P H A U
B A Y A S F I O V X S T A
H D K M E H D C F H Z H B
E E R B H M Q E H C C T R
U C O O B H R A B E A D E
E N W O O Y E J E N R V M
Y F X C X T D B A J E R A
L Z W R W X L R Z O D C Y
A M A H O G A N Y E O S E
Y G L Z O P Z S L Z A B L
K K N Y D D C W L P K S J
S I U I V Z X Z E A R U J
Y U T R B N X L H P B Y O
E E I D R U E W O L L I W
D L W F P N B V D K A E S
```

◊ ALDER	◊ BUBINGA	◊ PARANA
◊ ASH	◊ CEDAR	◊ RED OAK
◊ BALSA	◊ CHERRY	◊ SAPELE
◊ BAMBOO	◊ EBONY	◊ WALNUT
◊ BEECH	◊ MAHOGANY	◊ WILLOW
◊ BOXWOOD	◊ MERBAU	◊ YEW

```
K L I A T H G I H L I A T
L I A T U A M A S I Z N O
L I A T L H I F O A L E G
L I A T E R V L F T I B H
R F A N T A I L C X A R L
Y M T A A A D L O O T I I
E E I L T B R L T T G S A
L L E P I U I H T A A T T
L N I N I A R F O I W L G
O H D F T G T N N L O E N
W D E W U A T T T R C T I
T R T T A Y I A A A A A R
A R A T T A I L I O I I P
I L I A T N I P L L C L S
L D L C A Y L I A T E G Z
```

◊ BRISTLETAIL   ◊ HAIRTAIL   ◊ RETAIL

◊ COAT-TAIL   ◊ HIGHTAIL   ◊ SPRINGTAIL

◊ COTTONTAIL   ◊ OXTAIL   ◊ TURN TAIL

◊ DETAIL   ◊ PIGTAIL   ◊ WAGTAIL

◊ ENTAIL   ◊ PINTAIL   ◊ WHIPTAIL

◊ FANTAIL   ◊ RAT-TAIL   ◊ YELLOWTAIL

99   Taking a Flight

```
L T A U J E I Z T V Z H C
U S A X S Y L L O K O S H
A K Y K Z M A S L W F I Y
H X W S E N O C I O I E T
T W I N D O W T P A L T I
R F V I U T F A S L L N C
O R N O Y Q S F O U I X K
H G L A V I R R A B C E E
S X U I G K T H A T G E T
W O L L I P G C H D T Y S
U Q O F L N C N I A V A E
T T C D O A W R G J F B F
Z Z K L T V B Z C E Z U Q
O G E H D Z P X T T L T S
P P R E E R F Y T U D X N
```

◊ AISLE

◊ ARRIVAL

◊ BRIDGE

◊ CABIN

◊ CUSTOMS

◊ DUTY-FREE

◊ GATE

◊ LANDING

◊ LOCKER

◊ LONG-HAUL

◊ PILLOW

◊ PILOT

◊ SAFETY

◊ SHORT-HAUL

◊ TAKEOFF

◊ TICKETS

◊ TROLLEY

◊ WINDOW

100   Intelligence

```
D W E R H S A C U M E N T
Z R C C E K W Z T C M C C
G K K A E O E P B W R T E
K N I N S T R U C T E D L
N F I P S A U D P T U D L
O O A N H E R T D R A E E
W A I S R E Y E S E C L T
I W A T V E R S R A U B N
N Y I E A O C L U T T I I
G J L S T N L S H I E S U
N C A U D E I G I U N N D
D V T Z W O I G H D E E T
M E N H C R M M A R S S G
X L E C B H T N O M S Z A
K G M Y L M Q H Q K I R N
```

◊ ACUMEN	◊ GENIUS	◊ SENSIBLE
◊ ACUTENESS	◊ IMAGINATION	◊ SHARP
◊ ASTUTE	◊ INSTRUCTED	◊ SHREWD
◊ BRIGHT	◊ INTELLECT	◊ TUTORED
◊ CLEVER	◊ KNOWING	◊ WELL-READ
◊ DISCERNING	◊ MENTAL	◊ WISDOM

101   Pizza

```
E S T U F F E D C R U S T
G A R L I C V V S L E T C
A D N P Z K W S E R S O L
S M P A H Y K F O V L N S
U A B N N Y B N T R P E M
A L L X K R A D A D I B U
S L A Y Z G O D M V R A S
L E C B E P O C O R Y K H
F R K R A U R H T K F E R
R A O S G C C A C E M D O
G Z L H N N O H W J E S O
N Z I J A O E N T N Y W M
R O V L A E I U T P S G S
I M E W S V N N D I U Q S
K F S E N A P U O I J O J
```

◊ ANCHOVIES

◊ BACON

◊ BLACK
  OLIVES

◊ CHEESE

◊ DOUGH

◊ GARLIC

◊ MOZZARELLA

◊ MUSHROOMS

◊ ONIONS

◊ OREGANO

◊ PRAWNS

◊ SAUSAGE

◊ SQUID

◊ STONE-BAKED

◊ STUFFED
  CRUST

◊ SWEETCORN

◊ TOMATOES

◊ TUNA

```
D N E G E L N D N E B N U
D S D D N E D W D N E M K
N S U S P E N D F I E N D
E E A P D N E S D O G H N
C O N W E N D N G N X D E
S O E D J R E D S M N B M
N K N V A R I D N E F F O
A E E D E P X N P E D S E
R N U V E X P I T E T C N
T D E T M S T R P E X T D
U R D R T S C E E X N V A
P I D E W N N E N H L D N
E P J N W D Y G N D E Y E
N Y J D D N E R M D Q N G
D C M E N D N E D N E C D
```

◊ APPREHEND
◊ ATTEND
◊ CONDESCEND
◊ DEPEND
◊ EXTEND
◊ FIEND

◊ GODSEND
◊ LEGEND
◊ OFFEND
◊ REVEREND
◊ STIPEND
◊ SUPER-
    INTEND

◊ SUSPEND
◊ TRANSCEND
◊ TREND
◊ UNBEND
◊ UPEND
◊ WEND

Asteroids and Satellites

```
O N J N F A I S S A Q U R
V S Q P P K Y K D P U C K
E I P O J H S N K J D D A
N Y R Y T S A M I M H R H
C U T E L R K N L I D C B
E I T H I A V S M Y L L U
L R A M A L C A H K F E O
A A U P J L L E U B L D O
D N E L E I A I I L V H X
U O F H A T J S O P P L J
S R G W T A U M S P P E P
R E H E N L G S A A M V N
H B R U H A A S T R A E A
E O S O E W F M H R R U S
A P K P S J Y B A M T D J
```

- ◊ AMALTHEA
- ◊ ASTRAEA
- ◊ CALYPSO
- ◊ ENCELADUS
- ◊ EROS
- ◊ EUROPA
- ◊ HIMALIA
- ◊ HYDRA
- ◊ IAPETUS
- ◊ JANUS
- ◊ MIMAS
- ◊ MIRANDA
- ◊ OBERON
- ◊ PUCK
- ◊ RHEA
- ◊ SAPPHO
- ◊ TETHYS
- ◊ THALASSA

104   Calendar

```
R Y D X T E Y D R T A N N
T R E B M E T P E S M Y L
M U N T M O X Z T U M A M
O F E A Y A B S S G B G Y
N S R S C G P T A U Y Y N
T C U I D H Y R E A L S O
H J M N D A R G I U N A V
S Z T Y D A Y I J L L T E
Y V Y I A A Y H S Q Q U M
B M L O V D Y V W T G R B
D O R O R C S O E E M D E
H V U A K J L R U J S A R
M O N D A Y W J U Q M Y S
Y M L N E V Z N Z H D P R
J H H Y R L E J F A T U M
```

◊ APRIL	◊ JULY	◊ NOVEMBER
◊ AUGUST	◊ JUNE	◊ SATURDAY
◊ CHRISTMAS	◊ MARCH	◊ SEPTEMBER
◊ EASTER	◊ MAY	◊ SUNDAY
◊ FRIDAY	◊ MONDAY	◊ THURSDAY
◊ HOLIDAY	◊ MONTHS	◊ TUESDAY

Under the Ground

```
L B D L F X M J K E Y R B
S B L U B F E U X E Z E N
S M A G M A Y M L X O B B
A O B U N K E R O C V U O
P C T B C F B L B Z R T W
R A X J A K Y F O X I M Y
E T F A H S E N I M V H H
D A L A L U E F B V E V R
N C M Q R W X M X H R H W
U N A E N A R R E T B U S
E I W O A T D A T N O P C
Y E J A K I Y L B G T T T
S D R A I N X Y O B Z E C
Y N E N O T S M E G I R I
B A L T I U D N O C U T U
```

◊ BASEMENT   ◊ GEMSTONE   ◊ RHIZOME

◊ BULBS   ◊ GOLD   ◊ RIVER

◊ BUNKER   ◊ MAGMA   ◊ SEWER

◊ CATACOMB   ◊ MINESHAFT   ◊ SUBTER-
RANEAN

◊ CONDUIT   ◊ MOLE

◊ TUBER

◊ DRAIN   ◊ RABBIT

◊ UNDERPASS

106   Wild Flowers

```
H A E X T Y C H K V C E M
S C O A D Q E U R I S E U
U A R D T W I A D O W E R
R E H A C A Z U R W D E A
H O P Z N F N D B C E F R
B U J O B E K S O G A E H
G Z S E E U S L Y N Y A D
O O I N W R T B E S I V S
K Y L H C S U T I N N Z C
U N F D F J T A R L L H B
O A I O E L D A I V L R D
S S O P E N O D S B Y E T
Z T E N I P R O E O I T R
T O K A M J E O N D A S D
D A O W O A S Y D O M A E
```

◊ ARUM   ◊ DAISY   ◊ PINK

◊ ASTER   ◊ GOLDENROD   ◊ ROSE

◊ BRYONY   ◊ HOP   ◊ RUSH

◊ COLTSFOOT   ◊ IRIS   ◊ TANSY

◊ CRANESBILL   ◊ NETTLE   ◊ TARE

◊ CUDWEED   ◊ ORPINE   ◊ WOAD

107   Cocktails

```
B Z R E S I A R M O O L G
S I B L A C K V E L V E T
I Z S E A B R E E Z E B G
D J S H C H I C H I R G C
E G G N O G R M N O P A O
C R V D O P G I N F I Z Z
A X I U O W T X R A D A L
R H L C F E B H C E U O N
W H I S K Y M A C C N Q T
A W Q A J E P G L G Q X E
V M S U K U Y L V L T I X
S B L Q L U V O Z P B B V
X E F C D L D E T M Y Q G
P Y O B S K X X O E N G F
A T V C A R E Z A S H Y N
```

◊ ACAPULCO

◊ BISHOP

◊ BLACK
  VELVET

◊ BRONX

◊ CHI-CHI

◊ EGGNOG

◊ GIN FIZZ

◊ GLOOM
  RAISER

◊ JULEP

◊ LONG VODKA

◊ RICKEY

◊ SAKETINI

◊ SAZERAC

◊ SEA BREEZE

◊ SIDECAR

◊ SNOWBALL

◊ WHISKY MAC

◊ ZOMBIE

108   Civil

```
D E T A V I T L U C W Y H
M A B Y N G E N I A L R O
D E R E N N A M L L E W Z
I C O M P L A I S A N T N
P C O N S I D E R A T E G
L E E T N E G D E H G A H
O V V A L G E V O L L O W
M R A C L N I U V L Z B E
A N U V I T G W A D K L L
T H S F I H E N U U B I C
I S E S T P T T R A Z G O
C R N F A L I B I D H I M
U E U A N F A M K L X N I
S L G T U N A N E P O G N
V X G L E O C X C C V P G
```

- ◊ AMIABLE
- ◊ COM-PLAISANT
- ◊ CON-SIDERATE
- ◊ CULTIVATED
- ◊ DIPLOMATIC

- ◊ DUTIFUL
- ◊ GALLANT
- ◊ GENIAL
- ◊ GENTEEL
- ◊ OBLIGING
- ◊ POLITE
- ◊ REFINED

- ◊ SENSITIVE
- ◊ SUAVE
- ◊ THOUGHTFUL
- ◊ URBANE
- ◊ WELCOMING
- ◊ WELL-MANNERED

```
C O L A R O P R O C F R P
V I S C O U N T Y T A U U
P A K M T D M C H B T R J
C R R A U V P C B Q H R F
S S I C Y E M I M K E L E
P S J N H K C W J V R K X
B E I A C B Y S E T U I W
Y R P M S E I R T D N N W
V P I E H E E S Z N Y G J
S M H R R N A X H Q D R A
U E S D D G T K U O L E T
L G D A G W W E F O P T H
T L R P I R E S I A K S G
A Y O S Z N Y S K J O I C
N P L H A J A R A H A M D
```

◊ ARCHBISHOP   ◊ KING   ◊ PRINCE

◊ CORPORAL   ◊ LORDSHIP   ◊ QUEEN

◊ DUKE   ◊ MAHARAJAH   ◊ RABBI

◊ EMPRESS   ◊ MISS   ◊ REVEREND

◊ FATHER   ◊ MISTER   ◊ SULTAN

◊ KAISER   ◊ PADRE   ◊ VISCOUNT

110   Saints

```
Y H H E S B R W D P Y H W
K Z W U N E D A N D R E A
X I T L I I Y O E Q Q L B
G I X L E M T Q R E N O K
V J E R O M E N U O N O Z
S H G N N Y E S E A T Q A
O E I A R G T N V L P H Q
I C F A S O N E A P A V Y
A S L P C A N Z U Z U V E
N I L H S T P Z S W M F B
H D I R U E I H T W L H R
R U U R T C I D E N E B A
M E E N S E L M L Z S I B
X M T R E B U H L Y N A E
X W E H T T A M Q G A Y F
```

◊ ANDREA

◊ ANSELM

◊ ASAPH

◊ AUSTELL

◊ BARBE

◊ BENEDICT

◊ BONAVEN-
  TURE

◊ DOROTHY

◊ EUSTOCHIUM

◊ HELIER

◊ HILARY

◊ HUBERT

◊ JEROME

◊ MATTHEW

◊ MONICA

◊ URSANNE

◊ VALENTINE

◊ VITUS

111   Vegetables

```
S  A  E  P  E  J  Z  N  O  I  N  O  H
H  X  N  A  E  B  D  A  O  R  B  K  S
A  O  E  D  V  F  C  L  T  B  E  T  T
S  D  R  D  A  L  H  E  E  J  L  D  O
P  N  Z  S  R  N  S  N  W  R  A  R  O
A  G  R  U  E  U  I  N  Q  K  K  U  H
R  A  M  O  K  R  D  E  A  A  V  O  S
A  E  A  G  C  I  A  F  I  D  M  G  O
G  Q  I  A  H  T  R  D  T  C  O  C  O
U  F  T  Q  M  E  E  L  I  F  O  A  B
S  I  I  H  P  Q  R  E  R  S  R  P  M
O  C  I  P  Y  L  N  K  W  U  H  E  A
N  K  E  Q  A  G  J  S  I  S  S  R  B
Y  P  R  Y  M  X  A  D  C  N  U  X  F
Y  C  I  A  A  H  Q  L  T  C  M  P  O
```

◊ ADZUKI

◊ ASPARAGUS

◊ BAMBOO
  SHOOTS

◊ BROAD BEAN

◊ CAPER

◊ FENNEL

◊ GHERKIN

◊ GOURD

◊ HORSE-
  RADISH

◊ KALE

◊ MUSHROOM

◊ OKRA

◊ ONION

◊ PEAS

◊ PEPPER

◊ RADISH

◊ SWEETCORN

◊ YAM

```
P Z R P Y A O E L U O J W
E V I N Y L E N K E N O F
O O E M H I E S R Y E I K
T T R T B X R I T M G X F
V X X O I U L O I E O E N
L A R W W H N L N J R D J
D A L M E N C S W M D A N
X L Z E B J K A E H Y E A
L C S S N Z D N L N H L M
L L L S Z C T A B A K E L
Z T A A C A Y U C A M U V
U R P U T Y T Q L W A J K
S O L I D O J I E D O N A
K Q O U Y A O X Y G E N Y
Z N U M E N I M O R B T F
```

- ◊ ALKALI

- ◊ ANODE

- ◊ BORAX

- ◊ BROMINE

- ◊ BUNSEN

- ◊ ESTER

- ◊ FERMEN-TATION

- ◊ HYDROGEN

- ◊ IRON

- ◊ JOULE

- ◊ LEAD

- ◊ LIME

- ◊ MALACHITE

- ◊ OXYGEN

- ◊ SOLID

- ◊ TALC

- ◊ VALENCY

- ◊ VINYL

113　Safari Park

```
N  I  T  A  V  R  E  S  N  O  C  O
J  F  B  A  S  T  L  I  E  N  S  K  L
V  E  U  F  S  D  R  S  E  N  Y  D  A
H  O  F  G  T  R  W  A  A  S  X  G  F
L  C  C  K  X  A  E  C  N  T  A  K  F
Q  A  M  O  R  K  I  G  A  G  G  C  U
N  W  R  D  T  L  X  T  I  U  E  A  B
E  O  E  U  E  V  I  S  I  T  O  R  S
D  N  O  P  T  B  A  D  Y  S  E  N  A
A  N  M  B  A  A  E  J  E  K  M  I  C
R  M  L  H  A  S  N  S  K  H  A  V  X
E  L  A  N  D  B  B  V  N  F  G  O  I
G  U  B  L  G  D  A  R  O  O  G  R  Y
S  M  A  I  L  S  X  E  M  Z  I  E  M
H  R  B  W  A  L  L  A  B  Y  B  L  G
```

◊ BABOON

◊ BIG GAME

◊ BUFFALO

◊ CARNIVORE

◊ CONSER-
　VATION

◊ ELAND

◊ GUIDES

◊ HABITAT

◊ LIONS

◊ LLAMA

◊ MONKEY

◊ NATURAL

◊ PELICAN

◊ RANGER

◊ TIGERS

◊ VISITORS

◊ WALLABY

◊ WARDEN

114   Cold

```
R L S L P G A H U A H T M
E I G I S T U R I L G D V
F A R D B P I Y C Q E A L
R H E C R E G M W T L A Z
I Y P L G Y R O Q A I T U
G R T I P N I I E C D C S
E T I R I M V C A B S Y G
R N L H A Z I L E N A N C
A I I N B L G P O Y I O H
T W A I K R O W E Z S T I
O F N A R V S P E S O S L
R F R O S T E E L S O H L
K Z K L O L R Y B Y L O Y
Z P I R T F H S U L S F G
I W M C T A J A N U J W J
```

◊ ARCTIC

◊ CHILLY

◊ DRY ICE

◊ FREEZING

◊ FROST

◊ GELID

◊ GLACIAL

◊ GOOSE-
  PIMPLE

◊ HAIL

◊ POLAR

◊ REFRIGERA-
  TOR

◊ REPTILIAN

◊ SIBERIA

◊ SLEET

◊ SLUSH

◊ SNOWSTORM

◊ STONY

◊ WINTRY

115   Nuts and Seeds

```
X Y U M Z A A X G W H G M
A N X W E H S A C R O R F
L A P L P S C T Z E A S P
F N L I D A K O U K H P P
W I Y C S Q Y W C N C U H
D S P M H T L A Y O A H F
Y E P J Q E A U W C N E O
R U O M T T S C X A T U P
E Y P E D J U T H S R D T
L X B W A T P N N I K A R
E V E O Z U H U B U O O C
C A L M O N D R Y O T P E
J W D Z Y L T I E O C G T
S W H F Q A H I C K O R Y
V Z N R E W O L F N U S I
```

◊ ALMOND

◊ ANISE

◊ BETEL

◊ CARAWAY

◊ CASHEW

◊ CELERY

◊ CHESTNUT

◊ COBNUT

◊ COCONUT

◊ CONKER

◊ DILL

◊ FLAX

◊ HICKORY

◊ PEANUT

◊ PISTACHIO

◊ POPPY

◊ SUNFLOWER

◊ WALNUT

116   UK Prime Ministers

```
E  L  O  P  L  A  W  P  E  L  H  A  M
I  A  E  Q  E  L  P  R  I  M  O  U  F
B  E  N  W  O  R  B  D  T  E  V  T  Z
L  L  G  O  X  C  C  U  T  V  D  F  N
W  B  A  F  O  B  C  E  G  I  S  E  A
N  W  X  I  L  A  X  L  V  R  O  E  N
I  L  I  I  R  R  A  E  A  A  W  A  A
W  V  L  L  M  D  U  X  E  U  L  D  M
D  G  L  I  S  A  K  O  N  L  D  S  X
L  Z  D  T  H  O  J  F  F  I  T  U  Z
A  A  O  H  R  C  N  O  N  L  O  T  E
B  N  M  Q  T  P  R  G  R  N  A  G  A
E  Q  P  T  A  T  T  U  A  T  C  B  I
S  P  I  P  Y  O  T  C  H  T  A  E  H
S  P  V  G  N  I  N  N  A  C  U  V  Q
```

◊ ADDINGTON   ◊ CANNING   ◊ PEEL

◊ ATTLEE   ◊ CHURCHILL   ◊ PELHAM

◊ BALDWIN   ◊ EDEN   ◊ PERCEVAL

◊ BALFOUR   ◊ GLADSTONE   ◊ PITT

◊ BLAIR   ◊ HEATH   ◊ WALPOLE

◊ BROWN   ◊ MAJOR   ◊ WILSON

117　F1 Grand Prix Winners

```
Z D E A N G E L I S B E R
H I L L M A H B A R B M M
N F U E J B D S A O Q L O
D A N S P A C E V Q V U K
I F N I W A A J P F I H A
V C F N R R Z G O Q L T U
K G K I I K I H D N L C A
N V Y X C N A X R B E X Y
O K S P T M I A A R N S D
S C O H I W Z G L C E G M
S D E L Q O H A L H U S H
L R T G Z E H A A O V W F
I O E U T D R L W L E Y X
N W X T W K T D Z H U N T
U D I Z I P V I H W D D U
```

◊ ALESI

◊ ASCARI

◊ BAGHETTI

◊ BRABHAM

◊ CLARK

◊ DE ANGELIS

◊ GINTHER

◊ HAMILTON

◊ HILL

◊ HULME

◊ HUNT

◊ ICKX

◊ JONES

◊ NANNINI

◊ NILSSON

◊ PACE

◊ VILLENEUVE

◊ WALLARD

```
D R E N I N O G K B U H K
E N S D N V N F L A R N E
W K N E L L I K S I N N E
Y L K T D I E E C H F E G
O M E O E A D H A C N S L
L Y W N D M I R T N A D I
N N H Y I L M J N E Z N N
U K G V L A Q F K N W A T
D N A C G E R U I O E V O
P A M H D N D E T R T E N
D R O M A R A S L W A N R
N R Q D G U K I E O E G V
R U H L E O K D K W C C C
P C P Q O M M R R J H F F
C Q S C D P U Y D U A L C
```

◊ ANTRIM	◊ DOWN	◊ KILREA
◊ ARMAGH	◊ DROMARA	◊ LARNE
◊ CLAUDY	◊ DUNLOY	◊ MOURNE
◊ COLERAINE	◊ EGLINTON	◊ NEWRY
◊ COOKSTOWN	◊ ENNISKILLEN	◊ OMAGH
◊ CURRAN	◊ KEADY	◊ RICHILL

119   "B" Words

```
B O S L Y B Z B B B T L E
P J A B R U N C H I U B B
B M H U A A M T R U R O Q
B L L A N R B H Z R T D Y
U B B E E B B Y D R Z A S
T S D B T G K W W C R H N
T Y I G N E B I Z E T B W
E M O C E B L R G A I T U
R A B B C U E N E R C B T
S G O E I B A R T I U G B
C I B E B B B H D R S I N
O B B A M W D E M B O R F
T R L R H A N E P U L E W
C B E C Y E S I U L H I B
H C B P B E V B B B O I B
```

◊ BANGER

◊ BECOME

◊ BENEDICT

◊ BHUTAN

◊ BICENTENARY

◊ BIGAMY

◊ BIRDS

◊ BIRTHDAY

◊ BIZET

◊ BLABBER

◊ BLURB

◊ BOBBLE

◊ BREATH

◊ BRUNCH

◊ BULB

◊ BUOY

◊ BURMESE

◊ BUTTER-
SCOTCH

```
K G G I N T T C B J A G U
D L E I Y R S U R Y N Q X
I N T F K S U U O K P B F
E U U P N F Q T U Y R T A
C R S B S O M I U U A X I
N T F E L N R U T O P W P
A N L W O W O S V B N Q G
R O C Q W D I F L O O D Y
T D R Z F D L O O H C S H
N O E N T R Y Z H P Y Y R
E T E O U N S A F E C D H
X A N F T L Q O W P L O A
N O I T U A C A E E I B L
D V Y P I O L X C P N P T
E W G N I K R A P T G O G
```

◇ CAUTION

◇ DO NOT DISTURB

◇ DON'T RUN

◇ ENTRANCE

◇ FLOOD

◇ HALT

◇ NO CYCLING

◇ NO ENTRY

◇ NO U-TURN

◇ ONE WAY

◇ PARKING

◇ SCHOOL

◇ SLOW

◇ TURN LEFT

◇ UNSAFE

◇ WALK

◇ WAY OUT

◇ YIELD

Not on a Diet

```
S T U N H G U O D I C U R
F W N E D B N B F G M A O
C R O I S S A N T S G E L
M A E R C J F C N U B E L
E F E C L A I R S O Z J S
S T R U H O H L L Y C J D
R E A E C I T V S W R A A
E F Y L N A P F P H E U B
T O Z N O C N S G R T U P
T F Q Z R C H D B C Z D I
I P V T X W O F Y S F Z M
R W C X W B T H R S S K A
F E I V U Q U G C I R A L
I I E N V Y Z N W I E A A
U Y S B E X A D E U N S S
```

◊ BACON   ◊ CHOCOLATE   ◊ FRITTERS

◊ BEER   ◊ CREAM   ◊ ROLLS

◊ BREAD   ◊ CROISSANTS   ◊ SALAMI

◊ BUNS   ◊ DOUGHNUTS   ◊ SUGAR

◊ CANDY   ◊ ECLAIRS   ◊ SYRUP

◊ CHIPS   ◊ FRENCH   ◊ WINE
                   FRIES

122 Things That Can Be Spread

```
O H S I D A R E S R O H T
J B S A O Y V D Z J A D D
H C B D T O K V E I T O L
G A J F L L E G R P E L F
Q T P I K Q I G I R A E Z
N G B P T D E U A X B T O
O E U N I L R G Q M J U E
I R O A Q N U O P F A P X
T M F J O S E S W E N D B
C S R T G H Y S T E R I A
E V A N E Y A E S F H T A
F O I E I E L E N M C T O
N C V R W X H D F O H L O
I D A U U N P S W S H Q M
Q F C U W S G Z L H S U Q
```

◊ CAVIAR

◊ DAMAGE

◊ GERMS

◊ HAIR GEL

◊ HAPPINESS

◊ HONEY

◊ HORSE-
  RADISH

◊ HYSTERIA

◊ ICING SUGAR

◊ INFECTION

◊ LOVE

◊ NEWS

◊ PATE

◊ QUILT

◊ SEEDS

◊ SHEET

◊ THE WORD

◊ VIRUS

123 Tools

```
R I S X P N T Q B Y M A F
O J H L G Z S O Z G R P Z
K G A P O L I S H E R C H
I N V T R M C A V S L C I
E R E J K A N I R H N E E
F O R F L D R A J U Z C X
P L Q P V D E T P B U A C
L P E I W H R X Q S C R A
I L C E S A A I L Q R B V
E E R X R T S S L E U D A
R C K Y E C F T G L E N T
S V P V L H I U E G H A O
E U T R L E A U U R T T R
B V U M O T L O A E F I G
L E W O R T G C Y Q R B K
```

◊ AUGER

◊ BIT AND
  BRACE

◊ DRILL

◊ EXCAVATOR

◊ FRETSAW

◊ GOUGE

◊ HAND VICE

◊ HATCHET

◊ PLANE

◊ PLIERS

◊ POLISHER

◊ PUNCH

◊ ROLLER

◊ SCALPEL

◊ SCREW-
  DRIVER

◊ SHAVER

◊ SHEARS

◊ TROWEL

124 Associate

```
F F Z N C P B I D X L K A
H K R K F Y E A S D Y Z F
F A M I L I A R R Q A P E
E N C M E U G A E L H I L
Y A A O S N N E D E W Q P
E O L I N K D C L R Z Y U
H T K L L C O P U G G R O
C S A E Y N E U O I N N C
A F T I N R N Q H M R I A
T L C E C I S Y S W A Z M
T J C Z T O D W B J G T C
A T O E A W S V U E S O E
I X P I L H E N R U Q D A
Y D S O N I N V O L V E P
A M U H C A E E M C O P Z
```

◊ ALLY

◊ ATTACH

◊ CHUM

◊ CONNECT

◊ CONSOCIATE

◊ COUPLE

◊ FAMILIAR

◊ FRIEND

◊ HELPER

◊ INVOLVE

◊ JOIN

◊ LEAGUE

◊ LINK

◊ MATE

◊ MINGLE

◊ RUB
  SHOULDERS

◊ UNITE

◊ YOKE

125   Waterfalls

```
G H T E B R O E N W O R B
Y A P U T J B P U O L F D
B L P D G M L N O S T A W
O O T I S E G G T K X A L
U K W P N H L B E M T N P
N U I G Q G O A P O R G H
W U N I L Z G S O L U E A
J S F S J A N I H H O L N
Q A A E C E C R L O C W T
B V L O N R C I T L N L O
Z A L C I I V D E V I E M
Z H S N K A H D H R L J V
C S K E M P E R O R E B I
G A S L K R I M M L M X N
W L T B Y P G I E G L N X
```

◊ ANGEL

◊ BLENCOE

◊ BOW GLACIER

◊ BROWNE

◊ EMPEROR

◊ GAPING GILL

◊ HALOKU

◊ HAVASU

◊ HOPETOUN

◊ KRIMML

◊ MELINCOURT

◊ PHANTOM

◊ RHINE

◊ RINKA

◊ SHOSHONE

◊ TUGELA

◊ TWIN FALLS

◊ WATSON

126   Plain and Simple

```
E N I A L P E Y D W R D I
U B B L U N T L E I Z N A
B N Y T D S M B P E T S Q
F Y E E N O T U A M I N V
E V T M V E B E M S I I V
V U V H B R D V R S I S U
M I K O K E A I I E V C I
X K N Y Y C L E V O H D N
S T A R K N N L L E U K R
D O R R F I D A I C G S Z
S I F C K S D I T S H C E
M O C D U P A P R R H R X
X T R U T H F U L E A E H
I P F O L N H H E O C P D
O X T S E F I N A M O T S
```

◊ AUSTERE   ◊ FRANK   ◊ SIMPLE

◊ BASIC   ◊ LUCID   ◊ SINCERE

◊ BLUNT   ◊ MANIFEST   ◊ SPARTAN

◊ CLEAR   ◊ MUTED   ◊ STARK

◊ DIRECT   ◊ OBVIOUS   ◊ TRUTHFUL

◊ EVIDENT   ◊ PLAIN   ◊ UNEMBEL-
                                     LISHED

127　Backing Groups

```
D N A B E N I H S N U S G
S G N I W W T N W Y N Y O
T X Y D K A E S O C I O J
A C M Y Q K C P D Q O B G
I O T I K T B A A S N Y I
S M S G R V N C H T G A N
R E P C W A V E S E A L G
L T E R I R C U R M P P E
H S O H E N Q L Q H Q B R
F E Q J S S A B E E Y J B
U S R P A N S H R S Q S R
G J I M J I A I C H W A E
A P J D I C L B O E V H A
N S W A L T U O N N M P D
G I W L L W S X B Q S D S
```

◊ BANSHEES

◊ BLUE CAPS

◊ COMETS

◊ GANG

◊ GINGER-
BREADS

◊ HERMITS

◊ IMPRESSIONS

◊ MECHANICS

◊ MIRACLES

◊ NEWS

◊ OUTLAWS

◊ PIPS

◊ PLAYBOYS

◊ SHADOWS

◊ SUNSHINE
BAND

◊ UNION GAP

◊ WAVES

◊ WINGS

```
C W R J X M T H G P E S L
M D P E F A S G S F S U Y
E G R W Y G M A Y P X D O
G R I E Q A I E J U E C R
A E H L S L D E R G U A E
Y B B S O C L Y A I L P G
O E A R S C U R A W C T D
V C S V A V T E S M Y A I
N I E B N Y W Q E X L I R
E Q I A S C H T R S I N B
D N I U N P P L A Y N T M
I S A J B S M W L Q E A S
A Y E L L A G U F L R D H
M R X Y Q L K Z P A D I I
P Y K Y M X F K X M Q M P
```

◊ AMERICA

◊ BRIDGE

◊ CABIN

◊ CAPTAIN

◊ FLARES

◊ GALLEY

◊ ICEBERG

◊ JEWELS

◊ LINER

◊ LUXURY

◊ MAIDEN
  VOYAGE

◊ MAYDAY

◊ OCEAN

◊ PUMPS

◊ RESCUE

◊ SAILORS

◊ SHIP

◊ TRAGEDY

```
W D M E X O Z H T T V Y G
I A A A I G H C N K G V C
S R Z H I T V J O F N A H
C M O G E N C O M F I N A
O U O X J E E Y R I M A W
N A A N C W S J E D O I A
S S B F T H N X V A Y D I
I O N E V A D A A H W N I
N N K V T M N A M O O I H
A Z T L N P S A L G C A P
N W M N A S F A E A T G A
Y F O F C H Q R S U S H P
A D J I K I O N O N A K R
Y V E F C R C M X U A Y A
W T J R H E H N A Z L K V
```

◊ ALASKA

◊ HAWAII

◊ IDAHO

◊ INDIANA

◊ IOWA

◊ KANSAS

◊ MAINE

◊ MONTANA

◊ NEVADA

◊ NEW
HAMPSHIRE

◊ OHIO

◊ OKLAHOMA

◊ OREGON

◊ TEXAS

◊ UTAH

◊ VERMONT

◊ WISCONSIN

◊ WYOMING

130   Cycling

```
D N S R A E G V X B E M Y
S D T O E C L I P Q G G D
A P L U F P R E M A R F R
S K O O R E F L E C T O R
C P B K C H A I N T I P Y
D V E G E K R X E X Q P R
O V F E U S W K W H A K A
X U L G D H C C Q N J K T
P L N P E O P R N U T S Y
C V M E R D M I N C J E S
Q U L P E D E E L D D A S
P Q S C V R L J T F E T T
M N O G L I X Y E E Q V Z
G G O O A S K J I O R C O
S Q X Z V C N M T U C T F
```

◊ BOLTS

◊ CHAIN

◊ COGS

◊ FRAME

◊ GEARS

◊ LOCK

◊ NUTS

◊ PANNIER

◊ PUMP

◊ REFLECTOR

◊ SADDLE

◊ SEAT

◊ SPEEDO-
  METER

◊ SPOKES

◊ SPROCKET

◊ TOE CLIP

◊ VALVE

◊ WHEEL

```
L L C K H T M C P Z Y Y N
C N N Z S I D N U O P H C
B R C B A J G C M P E C W
T R O O H J Q J L G D O O
S H A S M T Z J A T N L T
O L E C S M N U U I U O I
L T A R E C A E T D I N L
I R Q S E P A R A T O R D
D A S H H F E R T S E E E
U E A B Z U O Q E I H X K
S P N A R N O R Y T F C Q
T E U O U P R N E T I L F
D O E M K B G E A T I A O
F K R A M H C E E P S U O
W O R R A J V Z A M Q I W
```

- ◊ ARROW
- ◊ BRACE
- ◊ CARET
- ◊ COLON
- ◊ COMMA
- ◊ CROSS
- ◊ DASH
- ◊ EURO
- ◊ HASH
- ◊ POUND
- ◊ SEPARATOR
- ◊ SLASH
- ◊ SOLIDUS
- ◊ SPEECH MARK
- ◊ THEREFORE
- ◊ TICK
- ◊ TILDE
- ◊ UMLAUT

132   Written by Hand

```
G W Q U O J R Z S O A S S
A R P A R E W V G R N C L
T X X S T U R X X O R D E
T O U T A E Z G I E C R B
F T E N C T N T D E E E A
I L O E R I A N P N P R L
G Y I O T L I O N T O U R
G P P E U M L A C S S T J
T E E C E E B E R I T A O
R R L R V R W E D L C N U
G A Q N S J C I O O A G R
C V E G U I A M W D R I N
C W C A P R A Y I O D S A
G K B E Y R P G L T T U L
R Y A S S E B L L L G G F
```

◊ BANNER

◊ CALCULA-
   TIONS

◊ DIARY

◊ ENVELOPE

◊ ESSAY

◊ GIFT TAG

◊ GREETING

◊ JOURNAL

◊ LABELS

◊ LETTER

◊ POSTCARD

◊ RECEIPT

◊ RECIPE

◊ REMINDER

◊ REPORT

◊ SIGNATURE

◊ TO-DO LIST

◊ WILL

133 Tired

```
W E N Z L U J C W X Z N S
A U X W D S G Q U A M A D
S E G H O E L N I E L O W
H Q X N A D P I I V M N P
E E J I B U N L O T T R D
D N E E T P S R E U L Y R
O T T N V V U T O T N I O
U G E O B N W D E W E R W
T P T D D U E J A D E D S
S V C O G N S A P P E D Y
J Q W Y R M S H V J I W Z
O N M U P O O P E D L E K
Y N B Z M N X E N D M A J
K N O C K E D O U T S R P
W K D E R E T T A H S Y Z
```

◊ BURNED OUT

◊ BUSHED

◊ DEPLETED

◊ DONE IN

◊ DROWSY

◊ EXHAUSTED

◊ JADED

◊ KNOCKED OUT

◊ POOPED

◊ RUN-DOWN

◊ SAPPED

◊ SHATTERED

◊ SPENT

◊ USED UP

◊ WASHED-OUT

◊ WEARY

◊ WILTING

◊ WORN DOWN

134 Face

```
A E B O Y W Q E E Q C H S
T U G U A Z L W O C S M V
E J K A S C O N T P E K H
Y L I P S A F I B S I A N
E H D U X I N A O P I V O
B N M U Y D V N J R S X I
R D O C D S F O L T Y O X
O A U B H E U I N A C J E
W E T Q K W N I D R K S L
S H H L Z E U H O O E T P
B E O J M Q E C E Y P L M
S R A S S H S H E L S Z O
H O I R K W A F C N I H C
F F V F S I S Y I U I M N
Q I J D G D N D R A E B S
```

◊ BEARD

◊ CHEEKBONE

◊ CHIN

◊ COMPLEXION

◊ EARS

◊ EYEBROWS

◊ EYES

◊ FOREHEAD

◊ HAIR LINE

◊ LIPS

◊ MOUTH

◊ MUSCLE

◊ NOSE

◊ SCOWL

◊ SKIN

◊ SMILE

◊ SQUINT

◊ VISAGE

135   Palindromes

```
O U J J Y D Z R E N O V P
N Y K T A T O C M E S A U
D E E D L T N P Z I E J T
I Z M B O S G O U A N A U
R S R R O U H L O L I I P
E S T A A L U F I N L G M
F A E O D I I S I S E U N
E R J V P A I O K R F N P
R A A L E S R F N Q E Y W
O C K Z K N S T B O L M L
S E P E E P E P Z O I I E
H C W K E A X V O J N L V
A A A R O K E Y E T E P E
H R L H T O S E O S S O L
S S T T T B K S G B T F Z
```

◊ DEED

◊ KOOK

◊ LEVEL

◊ LION OIL

◊ MINIM

◊ NOON

◊ PEEP

◊ PULL UP

◊ PUT UP

◊ RACE CAR

◊ RADAR

◊ REFER

◊ ROTOR

◊ SENILE
FELINES

◊ SEVEN EVES

◊ SEXES

◊ SHAHS

◊ STOPS SPOTS

```
P C R L P L S Q F K U V S
S R H T L A W G T B Y B I
E M O I A N L S N O U T G
L F B B J Z D P M I U R I
C V I E O I B B S Y W F L
A F R N A S S B E N G D L
T L A C S K C E O K Z A S
N I A N D E D I V F X D S
E P U M G V N K S O S P R
T P J H X S A I O E O U N
S E T K P F F Z P T F H B
B R R X G I J I S S L Z I
F S A G S O R P O U C H K
I S R E T T O R T R U X E
M B L K S R Y Z L B H D C
```

◊ BEAK
◊ BILL
◊ FANGS
◊ FINS
◊ FLIPPERS
◊ FUR

◊ GILLS
◊ HOOVES
◊ PALPS
◊ POUCH
◊ PROBOSCIS
◊ SNOUT

◊ SPINES
◊ SPOTS
◊ STRIPES
◊ TENTACLES
◊ TROTTERS
◊ WINGS

```
F K C G A L O B M A R A C
W H I T E C U R R A N T P
M F S W K G N E Z M G H K
R E E N I R A T C E N A L
S X L N Y E Q N D X H J Q
U E P O M E G R A N A T E
B P H P N N Z L X Q W C F
Y A G B E G L K I I A T L
A R R J F A E A I M V A F
B G P E G G C X M L E D Z
C A G S K E E H E C O P C
T T N F S L W X D A T E F
R U P A P A Y A L E E A W
P P U P N G A Q A O N R Z
H T A A P A S O R U G L I
```

◊ APPLE

◊ BANANA

◊ CARAMBOLA

◊ DATE

◊ FIG

◊ GRAPE

◊ GREENGAGE

◊ KIWI

◊ LIME

◊ MEDLAR

◊ MELON

◊ NECTARINE

◊ PAPAYA

◊ PEACH

◊ PEAR

◊ POME-
GRANATE

◊ UGLI

◊ WHITE-
CURRANT

138 Coffee

```
E N Z Y I C S L L F P A A
T S A O R H C N E R F L M
Y Z L R S M I I M Y I P P
D E H A D N U O R G L P D
O J X J S Y K G B A T H W
B E T T A L B J N X E E X
I Y A U R F D T A W R C W
T N P J U A A R E V Z N H
T A T P E T C T Z W A E I
E M D D I B A T X C F S T
R O R O E C Z S I E A S E
N R N A F D L B T O N E D
E A N Y Z I A L S E N I S
S S J I O R M Q I M T S S
S J B S A I B N G M L M A
```

◊ ARABICA

◊ AROMA

◊ BEANS

◊ BITTERNESS

◊ BODY

◊ ESSENCE

◊ EXTRACTION

◊ FILTER

◊ FRENCH
  ROAST

◊ GROUND

◊ INSTANT

◊ JAR

◊ JAVA

◊ LATTE

◊ MILL

◊ PLANTATION

◊ TASTE

◊ WHITE

Solutions

1

2

3

4

5

6

7

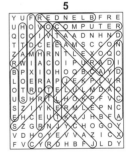

8

143

Solutions

9

10

11

12

13

14

15

16

Solutions

17

```
E W K V N Z E A Q V C L R
F R A N K I N G U X I H D
U F P V E M I T I U R F
T A H V E N D I N G C D N
K C C M B V F E N I G M A
I S F G N I M A G P Q N N
L I T H O G R A P H T R G
G M R E C O R D I N G H N
N I K Q X E G R E H W T
I L V A T S O N B A E H
L E U T R W M A X K X D T
L P E U I A Q S C Y V O A
I N Z N A S O I D A L R B
K A G L N V T K I S G F D
J R Y B W E G Z E V K L E
```

18

```
A Z E M O L O J I Y C M X
Q S M S N C J T L V U Q L
M N A E I U O G A L V E P
A O W K K A B A E M S E A
D C R O S C N V Z I O T C
B A A N R A O N B N E T Z
G O G G A B U U O T X E I
S H Y A S Y O E I Y G U U
F B D P M S H R L L Q D
V F V S A P W N E D W N C
O I R E P P E P L U E A A
T G L A L C W I X T P L S
S L K O E T U O L E N B G
E U S Q I A U G R A T I N
P M E A B A F W S A K W I
```

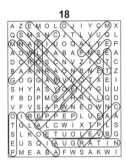

19

```
P U D N U O R Q L A N Z T
S H Z O S K Z L B B M Z L
S A K P O V C A T T L E E
B E U O P U D L O H S H K
R S H O O T O U T L E C
S R A R C K Q L E B I N O
G K A N O A B E A I X R O
N U P E D H R O G W M Y C
I T B Q T K E B O S S Y
H O W D Y T N W X F F T V
C M E A C S A G Y Y O A A
N H N D N H V Y I E Z R D
Y O W N O T A Q W R E R D
L R B B D R E U S M O C A
I N F Y K M L D G B O N E
```

20

```
G V C C C S R E V O M J Q
N J U X X I Q Q H V Z
U V Y G W A S M R O W H
R K T C L O S E T G Q O O
E U K S P I K Q O C T Y
T E S K U S G K Q U A K E
T O T B R E D H Z P B E N
A R A K G O M Y T T T R G
H N R B W X W B R S O V I
S S R E L L U F I B R O X
T R G E X P B Q R E P T L
W K R D F N O I T W S N Q
U A S Z I G U Y Z M Q W N
R S H A K I N G Q K G O G
Z K L U W S D O W A R D S
```

21

```
B R M W N T P E C C A O U
O K L W Q I X C R S D O D
H T O L E R A T E F R H O
S L R A E B R T O F U D E
T M H M O W T S Q P R
N P A H D L D W A U B V E
E I T L E O T C W R S E V
N G S T I C K O U T R S
A U E R C V Q E T N Y Y S
M O R O C B E M R E J C R
R P S T V C Z O W U T D E
E D M T I C O C N S D F P
P Z Z E A A Q O A T X N Z
T D H M P Y W L M S W F E
W B T S A F D A E T S L L
```

22

```
Q C T O C T O T C Y X U M
L E N E M E R Y H Q N N O
K T D U S A H R U Q X G
B A G K Z P F K Y A A R
A L N G N I T E S R S E A
S S O T B N F V O T B W P
A L V O U E Y B B Z E W H
N M I S D U R R E Z S A I
I Q T L H S L X R G T N T
T C R J K F T G Y V O D E
E A O L B U R O U N S Q U
M B A A Q U S M N N O R N
Y H L M L J D O Y E B F H
C A E T I N A I V U S E V
X R Q H K B I B X D P C Z
```

23

```
P L I G E W G Y M A Z N D
G G H B U M B L E B E E R
U J T H C L I R A R H K Q
B P I R H S S R I F T S
Y W B Z I A W Y T J D E T
L O B K R N K Y H B A N N
A O A A U G B G W N E R W
E D R M S O R O U Q O D
M L O T O H S X R T H I
M O L E F E S M B M H L Y H
R U F G M A Q A W X W P
H S D V S A B U X R A A
E E I T M O S E F D D K
H V A S H H F L L J G
R J E R Z F Q T R O O Y U
```

24

```
P C W F A G E R B A K K E
U M E E A T Z B W C S X N
J C U T B R R W Y G Q A G
S A E L A B M E M K D K V
W S A L Y D E F A X Y B A
B E E K G L O N N C E T L
D Y Y D I T L P I A P O L
C X T N C Y E U L O V
H M G M N B U Y M E O A R
I B D U F E O I R R F Q
C R I E J N X E N R O T W
Z Y A X T U X L U N G O Z
H S D M B F E M P V T H I
O O Y O E Y P M I U D H Z
A N U Y C N O S R E D N A
```

Solutions

25

26

27

28

29

30

31

32

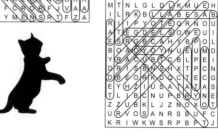

Solutions

33

34

35

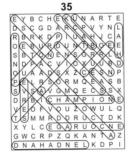

36

37

38

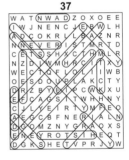

39

40

Solutions

41

42

43

44

45

46

47

48

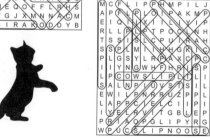

Solutions

49

50

51

52

53

54

55

56

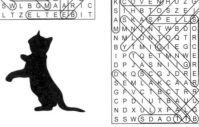

Solutions

57

```
R V Q G H W T O H O D C E
E N Y C N U P E E U H T
L U U X I I G K S B K E D
S O W P A F X K O P S Q
C K S N U S R Q N R L T G
A J O B V Y R E A D R C M
T A L L B O Y C E E J Y D
T L E E T T E S S Z M A S
E O V E N O W S P N E D Y
R U L U D S E I R P V R M
R S O F A R O R Z Z K C Y
U I X M D B O O K C A S E
G E E S C R I T O R E P
B N H G M F O L N R O D O
V F G W I M C A L D B O K
```

58

```
T V S N N Q X H F Q N K X
E B O T O B Z P M U H R F
G H O L A U P N O D E R
G O X L K R T U B E R T U
U P L R U W Q E T N O S N
N P R C D S U Z R O E U K
C O D O B U L G E C L L X
X A D T W A U P U N C R
L P R U I R G Y B C W O E
R R U B L Z U H B N X N C
H C X A U E A S F G W X Z
Q F H T M N Y Q I R V A B
X T F A F Y C C B O L P D
N W S A F U O L C M N V V
Z S Z J D J O N E K B B W
```

59

```
S T X I B I B H F T J Q B
T A E H T Q B R O O M E
I G X Y Z L H H N S J N J
C T R O R B E C T O E Q
K A X L R A K A R W C C W
R T P U K U L C N I S V H
A E O R Z C H L R L B W R
G E A A V I Z T P A C D
U H F F D Z M G E T T U F
S S U W A S H A E J I S C
X A J L K T T R G Q L R L
E S I O N H F F U O D X E
D A U E W S A R F E Q S
G V N R K Q D P O S G B Q
M G Z R G Q W X L K I V W
```

60

```
V M M C H S K S Y T E E F
S S H O E S N N W A D Z S
R Q G Y K Y A A X Q U T G
A S E B A N H E K D O W G
E C R D O Q U O O E I O
H C A E C O T I B G L N F
S U Y S V S K C O S U S A
R F F M T O F E P G Q R Q
E F C S B A L O N I B M C
P L I U E A N L G D W A Q
I D V J T E S W S R D
L N M I C J A S T G W A W
A K N O C F R K U S D C R
C S T X T E N E S J A A S
E K Y J T O N G S Q L S P
```

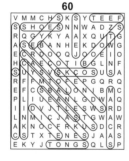

61

```
Q T T S I M I T P O D J P
E D N M L T H P O P G N D
A H B A B B L E R P T R M
S B O H D U L S R S E L I
A A D T R E R N I E R S
D R D K H B P T B A T P E
I B B A G E A R F C I R
S A A H Y X E E T U P C
T R L O G D R D H D W I G
E I U O Q K R C F P A Y A
V A D L C S T E O M J E Q
A N K I L J I J A N L L
N P E G L N R K L M M G S
K H L A D N A V N L E A Z
F Y O N P A G O G C O R N
```

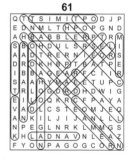

62

```
G L G B I M E E O N G H H
D A G G I A Q K S X Q P E
W K N H N Q A A A E C O S
F O U M N N I C N K L T L U
P Q R L E E K S A K K A Q
C L E K Q V F A J D W F M
G R N M D G R N E T F L Y
D U A E K R P F K R M K U
F I E F R E D L I X B H M
D H I L S T T C L J O D X W
H C C Z T N Z R U Y Z X E
P L A N T I J J N Z B M F Y
A K P L U A D K Q U I I K
Q D A F L P H K L W J F H
L Q D W O R R A P S E T K
```

63

```
P R T A W B U U V T X Q Q
U Q E A E B A N C Y M R
Y I Z G X V I S O H S X Y
B V H S I L N I A H C
B F R M R S L S T N V A Q
O W H O F A T R A D F R X
U Y U O V H T E V E K V M
N C X R G O Q S R L E E Y
J X X D N L X E L Y R S
I E E F E N I S S E S Y A
U P N C B D T E E R R O T
M I N R H A D N R C H A
L U A G I Y L T X U H W T
M R H R B D T G E T A E X
Y K S A R O D I R R O O F
```

64

```
C M C A N O P H I L I S T
C A N D Y T U F T T E F N
T A N C A N T I N I G S A
I I N T M L A B I N N A C
N C A A N A C T A V E
P T A C S B T F I C N C
L S T N T T C I N K A A
A E I J Y U E L M N U C N
T I N T O R E A D L N
E N C A I N N E N B G A E
K I L N N N H N I U M N L
U T T A F C C X T L N A L
C A N C O S A H K A A C O
T I N L I Z Z I E R C A N
C G N I L K N I T L K C I
```

Solutions

65

66

67

68

69

70

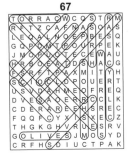

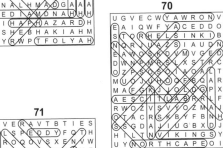

71

72

151

Solutions

73

74

75

76

77

78

79

80

Solutions

81

82

83

84

85

86

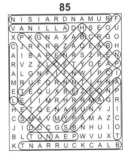

87

88

Solutions

89

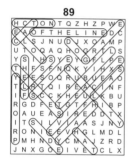

90

91

92

93

94

95

96

Solutions

97

98

99

100

101

102

103

104

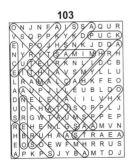

Solutions

105

```
L B D L F X M J K E Y R B
S B L U B F E U X E Z E N
S M A G M A Y M L X O B B
A O B U N K E R O C V U O
P C T B C F B L B Z R T W
R A X J A K Y F O X I M Y
E T F A H S E N I M H H
D A L A L U E F B V E V R
N C M O R W X M X H R H W
U N A E N A R R E T B U S
E I W O A T D A T N O P C
Y E J A K I Y L B G T T T
S D R A I N X Y O B Z E C
Y N E N O T S M E G I R I
B A L T I U D N O C U T U
```

107

```
B Z R E S I A R M O O L G
S I B L A C K V E L V E T
I Z S E A B R E E Z E B G
D J S H C H I C H D R G C
E G G N O G R M N O P A O
C R V D O P G I N F I Z Z
A X I U O W T X R A D A L
R H L C F E B H C E U O N
W H I S K Y M A X C N O T
A W Q A J E P G L G Q X E
V M S U R U Y L V L T I X
S B L Q L U V O Z P B B V
X E F C D L D E T M Y Q G
P Y O B S K X X O E N G F
A T V C A R E Z A S H Y N
```

106

```
H A E X T Y C H K V C E M
S C O A D Q E U R I S E U
U A R O T W I A D O W E R
R E H A C A Z U R W D E A
H O P Z N N O N B C E F R
B U J O B E K S O G A E H
G Z S E E U S L Y N Y A D
O O I N W R T B E S I V S
K Y L H C S I I N N Z C
U N F D E J T A R L L H B
O A X O E L D A I V L R D
S S O P E N D S B Y E T
Z T E N I P R O F O I T R
T O K A M J E O N D A S D
D A O W O A S Y D O M A E
```

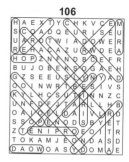

108

```
D E T A V I T L U C W Y H
M A B Y N G E N I A L R O
D E R E N N A M L L E W Z
I C O M P L A I S A N T N
P C O N S I D E R A T E D
L E E T N E G D H G A H
O V V A L G E O L L O W
M R A C I N I U V L Z B E
A N U V I T G W A D K L L
T H S F H E N U U B I C
I S E S T P I R A Z G O
C R N F A L I B D H I M
U E U A N F A M A L X N I
S L G T U N A N E P O G N
V X G L E O C X C C V P G
```

109

```
C O L A R O P R O C F R P
V I S C O U N T Y T A U U
P A K M T D M C H B T R J
C R R A U V P C B Q H R F
S S C Y E M I M K E L E
P S I N H K C W J X R K X
B E I A C B Y S E T U W
Y R P M S E I R T D N N W
V P I E H E E S X O H R A
S M H R R N A X H Q D R A
U E S D D G T K U O L E T
L G D A G W W E F O P T H
T L R P I R E S I A K S G
A Y O S Z N Y S K J O I C
N P L H A J A R A H A M D
```

110

```
Y H H E S B R W D P Y H W
K Z W U N E D A N D R E A
X I T L I L O E Q Q L B
G I E M T O R E N O K
V E R O M E N U O N O Z
S H G N N Y E S E A Q A
O E I A R G N V L H O
I C F A S O N E A P A V
A S L P C A N Z U Z U V E
N I H S T Z S W M F B
H D I R U E H T W L H R
R U U R T C I D E N E B
M E E N S E L M L Z S I B
X M T R E B U H U Y N A E
X W E H T T A M Q G A Y F
```

111

```
S A E P E J Z N O I N O H
H X N A E B D A O R B K S
A O E D V F C L T B E T T
S R D A L H E E J L D O
P N Z S R N S N W R A R O
A G R U E U I N Q K K U H
R A M O K R D E A A V O S
A E A G C A F I D M G C O
G Q I A H T R D T C O C O
U F T Q M E L I F O A R
S I I H P Q R F R S P M A
O C I P Y L N K W U H E A
N K E Q A G J S I S S R B
Y P R Y M X A D C N U X F
Y C I A A H Q L T C M P O
```

112

```
P Z R P Y A O E L U O J W
E V I N Y L E N K E N O F
O O E M H I E S R Y E I K
T T R T B X R I T M G X F
V X X O H U L O Q E N
L A R W W H N L N J R D J
D A L M E N C S W M D A N
X L Z E B J A K E H Y E A
L C S S N Z D N L N H L I M
L L L S Z C T A B A K E L
Z T A A C A Y U C A M U V
U R P U T Y T O L W A J K
S O L I D O J I E D O N A
K O O U Y A O X Y G E N Y
Z N U M E N I M O R B T F
```

Solutions

113

```
N O I T A V R E S N O C O
J F B A S T L I E N S K L
V E U F S D R S E N Y D A
H O F G T R M A A S X G F
L C C K X A E N T A K F
Q A M O R K I G A G G C
N W R D T L T V E A U B
E Q E U E V I S I T O R S
D N O E R B A D Y S E N A
A N M B A A E J E K M I C
R M L H A S A K H E H X V
E L A N D B B V N F G O I
G U B L G D A R O O G R Y
S M A I L S X E M Z I E M
H R B W A L L A B Y B L G
```

114

```
R L S L P G A H U A H T M
E I G I S T U R I L G D V
F A R D B P I Y C Q E A L
R H E C R E G M W T N A Z
I Y P L G Y R O Q A I T U
G R T I P N I E C C C S
E R I M V A B S Y G
A N L H A Z I E N A N C
I I N B L Q P O Y I O H
T W A I K R O M E Z S T I
O F N A R V S P E S O S L
R F R O S T E E L S O H L
K Z K L O L R Y B Y L O V
Z P I R T F H S U L S F G
I W M C T A J A N U J W J
```

115

```
X Y U M Z A A X G W H G M
A N X W E H S A C R O R F
L A P L P S C T Z E A S P
F N L T D A K O U K H P P
W I Y C S Q Y W C N C U H
D S P M H T I A O A H F
Y E P J X E A U W O N E O
R U O M T T S C A T U P
Y P E D J U T H S R D T
L X B W A T P N N I K A R
E V E O Z U H U B U O O C
C A L M O N D R Y O T P E
J W D Z Y L T I E O C G T
S W H F Q A H I C K O R Y
V Z N R E W O L F N U S I
```

116

```
E L O P L A W P E L H A M
I A E Q E L P R I M O U F
B E N W O R B D E V T Z
L L G O X C C U T V D F N
W B A F O B C E G I S E A
N W X I L A X L V R O E N
I L I R P A E A A W A A
W V L L M D U X E L U D M
D G L S X A O L D S
L Z D T H X C F T U Z
A A O H R C N O N L O T E
B N M O T P R G R N A G A
E Q P T A T T U A T C B I
S P I P Y O T C H T A E H
S P V G N I N N A C U V Q
```

117

```
Z D E A N G E L I S B E R
H I L L M A H B A R B M M
N F U E J B D S A O Q L O
D A N S P A C E V Q F I H
I E N J W A A J P F I H A
V C E N R R Z G O Q L T U
K G K L I K H D N L C A
N V Y X C N A X R B E X Y
O K S P T M I A A R N S D
S C O H I W Z G C Q H G M
S D E L Q O H A L H U S H
L R T G Z E H A A O V W F
I O E U T O R T L W L E Y X
N W X T W K T D Z H U N T
U D I Z I P V I H W D D U
```

118

```
D R E N I N O G K B U H K
E N S D N V N F L A R N E
W K N E L L K S I N N E
Y L K T D I E F C H F E G
O M E O E A D H A C N S L
L Y W N D M P R T N A D I
N N H Y L M J N E Z N N
U K G V L A Q F K N W A T
D N A C G E R U J O E V O
P A M H D N D E T R T E N
D R O M A R A S L W A N R
N R Q D O M A S X A E G V
R U H L E O K D K W O C C
P C P Q O M M R J H F F
C Q S C D P U Y D U A L C
```

119

```
B O S L Y B Z B R B T L E
P J A B R U N C H R O O
B M H U A A M T R U R O Q
B L L A N R B H Z R T D Y
U B B E E B B Y D R Z A S
T S D B T G K W W C R H N
T Y I G N E B I Z E I B
E M O C E B L R G A T U
R A B B C U E N E R C B T
S G O E I B A R U G B
C I B E B B H D R S I N
O B B A M W D E M B O R F
T R L R H A N E P U L E W
C B E C Y E S I U L H I B
H C B P B E V B B B O I B
```

120

```
K G G I N T T C B J A G U
D L E I Y R S U R Y N Q X
I N T F K S U U O K P B F
E U U P N F Q T U Y R T A
C R S B S O M I U U A X I
N T F E L N R U T O P W P
A N L W O W O S V B N Q G
R O C Q W I F L O O D D Y
T D R Z F D L O O H C S
N O E N T R Y Z H P Y H
E T E O U N S A F E C D H
X A N F T L Q O W P L O A
N O I T U A C A E B L P T
D V Y P I O L X C P N P L
E W G N I K R A P T G O G
```

157

Solutions

121

122

123

124

125

126

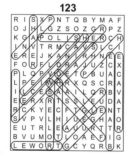

127

128

Solutions

129

```
W D M E X O Z H T T V Y G
I A A A I G H C N K G V C
S R Z H T V J O F N A H
C M O G E N C O M F I N A
O U O X J E E Y R I M A W
N A A N C W S J E D O I A
S S B F T H N X V A H D I
I O N E V A D A A H W N L
I N N K V T M N A M O O H
A Z T L N P S A L G C A P
N W M N A S F A E A T G A
Y F O F C H O R S U S H P
A D J I K N O N O N A K R
Y V E F C R C M X U A Y A
W T J R H E H N A Z L K V
```

130

```
D N S R A E G V X B E M Y
S D T O E C L I P Q G G D
A P L U F P R E M A R F R
S R O O R E F L E C T O R
C P B K C H A I N T I P Y
D V E G E R X E X O P R
O V F E U S W K W H A K A
X U L G D H C C O N J K T
P L N P E O P R N U T S Y
C V M E R D M I N C J E S
Q U E P E D E E L D D A S
P Q S C V R L J T E T T
M N O G L I X Y E E Q V Z
G G O O A S K J I O R C O
S Q X Z V C N M T U C T F
```

131

```
L L C K H T M C P Z Y Y N
C N N Z S I D N U O P H C
B R C B A J G C M P E C W
T R O O H J Q J L G D O O
S H A S M T Z J A T N L T
O L E C S M N U U I U O L
L T A R E C A E T D I N L
I R Q S E P A R A T O R D
D A S H H F E R T S E E E
U E A B Z U O Q E I H X K
S P N A R N O R Y T F C Q
T E U O U P R N E T I L F
D O E M K B G E A T A O
F K R A M H C E E P S U O
W O R R A J V Z A M Q I W
```

132

```
G W Q U O J R Z S O A S S
A R P A R E W V G R N C L
T X X S T U R X X O R D E
T O U T A E Z G I E C R R
F T E N C N T D E E A
I L O E R T A N P N R L
G Y O O N T O U R
G P P E U M L A C S S T A
T E E C E E B E R I C N
R R L G V R W E D L C A O
G A O N S I C J O O A G R
C V E G U I A M W D R I S
C W C A P R A Y I O O A
G K B E Y R P G L T T U L
R Y A S S E B L U L G G F
```

133

```
W E N Z L U J C W X Z N S
A U X W O S G Q U A M A D
S E G H O E L N I E L O W
H Q X N A O P I V M N P
E E J I B U N L T T R D
D N E E T O S R E U L Y R
O T T N V V J O A N I Q
U G E O P N W D E W E R W
T P T D D U E J A D E D S
S V C O G N S A P P E D Y
J Q W Y R M S H V J I W Z
O N M U P O O P E D L E K
Y N B Z M N X E N D M A J
K N O C K E D O U T S R P
W K D E R E T T A H S Y Z
```

134

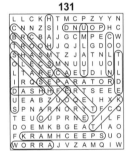

```
A E B O Y W Q E E Q C H S
T U G U A Z L W O C S M V
E J K A S C O N T R P E K H
Y L I P S A F I B S A N
E H D U X I N A O P I V O
B N M U Y D N J R S X I
R D O C D S F O L T Y O X
O A U B H E U I N A C J E
W E T Q K W N I D R K S L
S H H L Z E U H O O E T P
B E Q J M C E C E Y P L M
S R A S S H S H E L S Z O
H O T R K W A F C N T H C
F F V F S I S Y I U M N
Q I J D G D N D R A E B S
```

135

```
O U J J Y D Z R E N O V P
N Y K T A T O C M E S A U
D E E D L T N P Z I E J T
I Z M B O S G O U A N A U
R S R R O U H L O L I P
E S T A A L U F I N L G M
F A E O D I S I S E U N
E R J V P A I O K R F I
R A A L E S R F N Q E Y W
O C K Z K N S T B O L M L
S E P E E P E P Z O I E
H C W K E A X V O J N L V
A A A R O K E Y E T E P
H R L H T O S E O S S O L
S T T T B K S G B T F Z
```

136

```
P C R L P L S O F K U V S
S R H T L A W G T B Y B I
E M O A M L S N O U T G
L F R S B J Z D P M I U R I
C V T E O I B B S Y W F L
A F R N A S S B E N G D L
T L A C S O C E Q K Z A S
N I A N D E D V F X D S
E P U M G V N K S O S P R
P D P J H X S A I O E X I N
S E T K P F F Z P T E H B
B R R X G I J S S L Z I
F S A G S O R P O U C H K
I S R E T T O R T R U X E
M B L K S R Y Z L B H D C
```

Solutions

137

138